《型世言》代詞計量研究

施建平 著

文史哲學集成
文史哲出版社印行

國家圖書館出版品預行編目資料

《型世言》代詞計量研究 /施建平著. -- 初
版 -- 臺北市：文史哲, 民 100.12
頁;公分（文史哲學集成；612）
參考書目：頁
ISBN 978-986-314-003-0（平裝）

1.話本　2.代名詞　3.研究考訂

857.41　　　　　　　　　　　100027752

文史哲學集成　612

《型世言》代詞計量研究

著　　者：施　　　建　　　平
出版者：文　史　哲　出　版　社
　　　　http://www.lapen.com.tw
　　　　e-mail：lapen@ms74.hinet.net
登記證字號：行政院新聞局版臺業字五三三七號
發行人：彭　　　正　　　雄
發行所：文　史　哲　出　版　社
印刷者：文　史　哲　出　版　社
臺北市羅斯福路一段七十二巷四號
郵政劃撥帳號：一六一八○一七五
電話 886-2-23511028 ・ 傳真 886-2-23965656

實價新臺幣二八○元

中華民國一百年（2012）十二月初版

《型世言》代詞計量研究

目　　次

前　　言

一、《型世言》的語料價值

目前，漢語學界正著力進行漢語語法史的研究，而漢語語法史的研究依賴於漢語語法的斷代研究，漢語語法的斷代研究則依賴於專書的語法研究。嚴學宭先生早在 20 世紀 80 年代就曾經指出：近代漢語的研究"過去作得相當差，基礎很薄弱。所以，近代漢語的研究應該加強。"[1]

而自從 20 世紀 80 年代以來，近代漢語研究發展較快。發展得比較快的一個重要原因，就是在近代漢語的資料整理方面做得比較好。說得確切一些，就是在斷代語法和專書研究上做得比較好。

20 世紀 80 年代末重新問世的《型世言》，是明末杭州小說家陸人龍所撰寫的一部擬話本小說集，約刻於崇禎五年（1632）左右。它是 1987 年由陳慶浩先生與臺灣的王國良教授一起在韓國漢城大學的奎章閣發現的。可以說是中國小說史上又一重要著作。它與"三言"一樣，是作者出於一種社會責任感，以自己的作品來教育讀者、匡正世風的。型者，模也，榜樣之謂也。所謂《型世言》，就是教人應當怎樣立身處世的一部書。書中有很多

1 胡竹安，楊耐思，蔣紹愚.近代漢語研究[M]. 北京：商務印書館，1992：1。

封建說教和迷信思想，此乃本書的一大缺憾。但是，這並不妨礙
它成爲一種很好地反映明末時期語言狀況的重要文獻。[2]

　　因爲就書中反映的語貌來看，（一）書中的官話成分占有絕
對優勢。理由如下：一是作者編撰此小說集之前，是面向全國範
圍內的讀者進行徵稿的 —— "刊《型世言》二集，征海內異聞。"
[3]因而其在進行編纂時，必須選用大多數讀者所通用的語言，當時
的官話系統當然也就成爲首選。二是陸人龍還創作過反映後金與
明軍作戰的《遼海丹忠錄》，從書中可以看出，他對官話的運用
駕輕就熟。三是儘管作者是末世一位屢試不第的諸生，但是學問
並不低，他通過課徒授業、參加科舉、經營書坊，對於官方的通
用語應該是比較精通的。正如今天的社長、總編，如果連普通話
也不會講、編輯水平很差的話，那是不可思議的。（二）全國各
地的方言或多或少皆有體現，尤其是吳方言。書中故事發生地遍
及全國，東到浙江，北至河北，南到福建、廣西，西至陝西、四
川，各地方言，皆有體現。如第 5 回《淫婦背夫遭誅，俠士蒙恩
得宥》中，由於故事發生在宛平，所以"咱"字出現的頻率特別
高。《型世言》全書共 40 回，其中有 11 回，要麼發生地爲浙江，
要麼故事的主人公是浙江人。因而，明末時期的吳方言在書中一
些章節中有集中體現。如第 27 回《貪花郎累及慈親，利財奴禍貽
至戚》中的一段：

　　那皮匠便對錢公佈道："個是高徒麼？"錢公佈道："正
　　是。是陳憲副令郎。"皮匠便道："個娘戲！阿答雖然不

---

2 鑒於其獨特的研究價值，有人已將《型世言》與"三言"、"二拍"並
　列，稱之爲"三言二拍一型"。
3 見 1993 年中華書局版覃君點校本《型世言》"前言"第 1 頁。

才，做個樣小生意，阿答家叔洪僅八三，也是在學。洪論
九十二舍弟見選竹溪巡司。就阿答房下也是張堪與小峰之
女。咱日日在個向張望，先生借重對渠說話，若再來張看，
我定用打渠，勿怪粗魯。"

……

那皮匠又趕去陳公子身上狠打上幾下，道："娘戲個，我
千難萬難討得個老媽，你要戲渠。"公子熬不得，道："先
生快救我！"皮匠道："我還要三百兩銀子，饒渠性命。"
錢公佈道："那得多呵！送五兩折東陪禮。"皮匠便跳起
道："放屁！你家老媽官與人戲，那三五兩便歇？"

其中"個"、"歇"、"個樣"、"個向"、"折東"、"你
家"、"老媽"、"官與"等都是典型的吳方言，其語音和用法
直到現在還在吳方言的一些小片區中存在。這些詞如在常州話
中，"個"即"這"，"折東"即"值當"或"作東"之義，"老
媽"不是"自己的老娘"，而是"老婆"，"官與"即"給與"
[4]。而"阿答"顯然與"你達"、"我達"等現代衢州方言有著親
密的語源關係。而"討老媽"一詞如今在建德、台州、紹興方言
中仍有使用。[5]

吳方言對於歷時語言學的研究有非常重要的意義。梅祖麟教
授認為《吳語處衢方言研究》（東京好文出版社，2000 年）一書
就揭示出吳語、尤其是浙南方言與《切韻》南音的密切關係。[6]而

4 常州話中至今有"官東西"（分發物品）、"官鈔票"（發鈔票）等用詞。
　筆者 18 歲以前一直生活在常州。
5 蔡勇飛.江方言辭彙內部差異例述[J].杭州師院學報：社會科學版，1986
　（2）：117-123.
6 "《切韻》南音除了在閩語保存以外，在吳語裏有什麼方言保存得很好？

保留了大量的近代吳方言口語、尤其是浙江話的《型世言》就顯得彌足珍貴。

因此，《型世言》的語言學價值是毋庸置疑的。

二、《型世言》的研究概況

（一）從版本目錄學的角度對《型世言》的考證

版本的確定是任何文獻研究的開端。《型世言》部分章節的最初研究陸續展開，發掘和研究者是鄭振鐸、王重民等學者。而其完整的問世則要歸功於陳慶浩和王國良教授。之後，關於作者的研究也陸續有人涉獵。如作者的真偽，成書的年代，以及陸人龍的家世、生平等。另外，還有關於文本故事源流的研究。研究《型世言》中的哪些故事與"三言二拍"中的有重合，哪些故事確有其事，其真實程度有多高等等。如大塚秀高（2006）的《〈型世言〉研究評述》，顧克勇（2010）的《〈型世言〉本事補考》等。

（二）《型世言》與"三言"、"二拍"、《兒女英雄傳》等小說的比較研究

關於《型世言》的比較研究也有很多。如東北師範大學劉興漢（1997）的《〈型世言〉與"三言"的比較研究》，從社會歷史的角度對其進行研究；中國計量學院蔚然（2006）的《〈型世言〉的女性觀 —— 與"三言"、"二拍"比較》，從女性權利的

看到你們那本書，哦，原來保存得那麼完全……"見曹志耘.梅祖麟教授訪談錄[J].語言教學與研究，2001（4）：1-9.

角度對其進行研究；浙江大學程若旦（2006）的《略論〈西湖二集〉與〈型世言〉中的明代歷史人物》，則從歷史的角度對其進行了對比研究；河池學院賀衛國（2010）的《淺談近代吳語與官話動詞重疊發展的不平衡性 ——〈金瓶梅〉〈紅樓夢〉與〈鼓掌絕塵〉〈型世言〉動詞重疊之比較》，則從語言學的角度對其進行研究。而施建平、譚芳芳的"《兒女英雄傳》《型世言》代詞比較研究"系列論文，則開創了明清專書代詞比較研究的先河。

（三）從社會歷史的角度來研究《型世言》

文獻是社會歷史的載體。因而從故事的時代背景、主題思想和社會世相等方面入手對其進行研究的文章也有很多。如徐虹（2009）的《風雲變幻鑄書魂 ——〈型世言〉對晚明重大事件的反映》，胡蓮玉博士（2003）的《世態百相雜陳畢具 ——〈型世言〉與明代社會生活》，雷慶銳博士（2005）的《〈型世言〉中的情理矛盾與社會成因》，吳順（2010）的碩士論文《〈型世言〉與晚明社會生活》，井玉貴（2006）的《〈型世言〉與晚明吏治》等等。

（四）關於《型世言》的語言學研究

據不完全統計，截至目前，中國大陸以《型世言》為題的研究論文達 159 篇。其中博士論文 1 篇，碩士論文 19 篇。在碩士論文中，有 11 篇是從語言學的角度對其進行研究的。其他《型世言》相關的語言學論文多以散論為主，均不大成體系。

綜上所述，關於《型世言》的語言學研究，目前雖然有一些研究的成果，但大多是零碎的、不成系統的研究。有些雖然是研究生的碩士論文，但無論是從理論深度還是數量統計來看，都還較爲粗疏。到目前爲止，對《型世言》中的語法現象進行系統研究的著作還很少。這就需要對《型世言》作一個系統的考察，對《型世言》中所反映的語法現象作全面觀照和定量分析。本書的寫作，目的也在於此。代詞系統可以說是比較能反映一種語言某個時期語法特點的一個重要方面，在研究近代漢語時，呂叔湘先生就是從"指代詞"這一角度著手進行研究的。因而，本書所選取的視角即爲"《型世言》的代詞研究"。

三、關於該書的版本、研究內容、方法及體例

（一）關於本書的版本

本書屬於專書詞類研究，我們選取 1993 年中華書局的覃君點校本《型世言》（上、下冊）作爲參照本，精心校對電子文本[7]，然後使用電子文本進行篩選、統計，得出的資料非常可靠。

（二）全書可以分爲三個部分進行研究

第一部分：人稱代詞。這部分探討了《型世言》中的第一人稱代詞、第二人稱代詞、第三人稱代詞、反身代詞、旁稱代詞以及統稱代詞等 6 個小類。

第二部分：指示代詞。這部分包括近指代詞、遠指代詞、兼指代詞 3 個類別。

第三部分：疑問代詞。主要以"怎"、"何"、"甚"、"那"爲代表。

---

7 以石汝傑、陳榴競的電子文本爲底本。

（三）具體研究方法

1.數量統計法。檢索並判定每類代詞的各分支小類、每個分支的詞目、每個詞目的所有用例，並計算出使用頻率。

2.歷時比較法。先描述該詞目自上古至近代的歷史發展變化，然後羅列各朝代代表著作的出現次數，進行比較，大致勾勒出一個歷時的面貌。

3.歸納描寫法。歸納出該詞目的、句法功能和語義功能，然後進行詳細描述，舉例證明。人稱代詞、指示代詞、疑問代詞的詞類基本上每一節都有小結。

（四）關於本書的體例

有如下幾點說明：

1.對直接引用或轉述的他人的觀點均作出注解，注解按順序在通篇排列。

2.所羅列的參考文獻基本上被間接或直接引用。

3.每一個詞類用表格羅列所有詞目和統計資料。

4.統計表格中的百分比資料一般是四捨五入的結果。

5.每一個舉例都標出了小說的回數，以便查閱。

四、研究結論

從對《型世言》的代詞計量研究中，我們可以得出以下結論：

1.上古漢語中的疑問代詞已全面解體，新興代詞發展勢頭強勁

上古漢語的人稱代詞、指示代詞、疑問代詞已日薄西山。以“你”、“我”、“他”為代表的人稱代詞，以“這”、“那”

爲代表的指示代詞，以"怎"、"那（哪）"、"幾、多少"等爲代表的疑問代詞已自成體系，全面取代了上古代詞。

2.代詞的雙音節趨勢也十分明顯

隨著單音節的文言代詞的退出，"我們"、"他們"、"什麼"等複音詞大行其道，代詞的雙音節化也越來越明顯。

3.代詞的時代特色、地域特色十分明顯

《型世言》只是眾多話本的彙編集而已，陸人龍只是一個參與編寫的統稿人，該書並非其一人所作。[8]我們發現，《型世言》中保留了大量的明末口語，而一些代詞在各回數中也分佈不均，極爲懸殊。因而，吳方言、北方方言等多種各具特色的代詞，在書中均有體現。如"咱、俺"等體現了北方方言特色。而"本渠"、"阿答"、"你家"等則體現了南方方言的特色。這些方言基本上是當時百姓的口頭用語，時代特色十分明顯。

---

8 參見施建平. 從代詞的運用論《型世言》非陸人龍一人獨撰[J]. 常熟理工學院學報，2007（1）：68-70，97.

第一章 《型世言》中的人稱代詞

代詞早在甲骨卜辭中就存在了，但是體系尚不完整。到了春秋戰國時期，代詞才有了較爲全面的發展，人稱代詞、指示代詞也大大豐富，並產生了一套完整的疑問代詞。

而中古漢語代詞發展的特點是：一方面，在上古漢語複雜的代詞系統中，有一部分仍在使用，並在語法功能上得到了全面的發展，而另一部分則已消失了。同時，湧現出了大量的新詞，逐漸開始構建起一個更加複雜的新的代詞系統。這時期的代詞特點是：雙音節代詞大量出現，單音節代詞系統逐步解體。這些都爲近代漢語的發展奠定了基礎。[1]

而近代漢語代詞的特點是：上古漢語系統中的代詞基本消失於口語材料之中，雙音節代詞成爲了主流，以“你、我、他”“這、那”“誰、怎、什麼”爲代表的代詞大行其道，爲向現代漢語過渡作好了鋪墊。

馮春田先生認爲：“漢語發展到了唐代以後，形成了與古代漢語完全不同的代詞系統，奠定了現代漢語代詞系統的基本格局。”[2]這個觀點基本上是正確的。但是實際情況遠不止這麼簡單。只有從每部專著的研究中，我們才會發現每個世紀代詞在演

---

1 向熹. 簡明漢語史（下）[M]. 北京：商務印書館，2010：73-74，354-355.
2 馮春田. 近代漢語語法研究[M]. 濟南：山東教育出版社，2000：1.

化中的細微差別。自唐以降,從每個朝代的文獻都可以看出漢語是如何一步步貼近口語,擺脫文言文的文法與詞藻,不斷地從民間口語中吸收養分,一點一滴地彙集成現代漢語的初始之形的——從《景德傳燈錄》、元雜劇,到《水滸傳》、《金瓶梅詞話》,再到"三言"、《二拍》,以及後來的《紅樓夢》、《兒女英雄傳》,我們可以清晰地看出近代漢語代詞的發展軌跡。

　　《型世言》中的人稱代詞非常多,按照一般的分類方法,可分爲6類:第一人稱代詞、第二人稱代詞、第三人稱代詞、反身代詞、旁稱代詞以及統稱代詞等。

第一節　第一人稱代詞

　　第一人稱代詞早在甲骨卜辭中就存在了,但是體系尙不完整,僅僅有"我、余、朕"3個詞。此後周代又產生了"吾、卬、台、予"4個第一人稱代詞。到了春秋戰國時期,人稱代詞系統就比較完善了。中古在廣泛應用其中部分代詞的同時,也出現了"身、奴、民、儂"等新興代詞[3];發展到近代,第一人稱代詞不僅產生了複數形式,而且複數有排除式和包括式的區別,這成爲近代漢語時期第一人稱代詞發展變化的重要標誌。劉一之(1988)根據唐、五代、宋(金)、元、明的十六種白話資料的研究,推測出北方方言中第一人稱代詞複數排除式和包括式的對立產生於十二世紀。在此基礎上,梅祖麟推論出:北方系官話是受了阿勒

---

3 向熹. 簡明漢語史(下)[M]. 北京:商務印書館,2010:355-356.

泰語中的女真語或契丹語的影響而引進了這種對立。[4]

《型世言》中的第一人稱代詞有"我"、"我儂"、"我們"、"咱"、"咱每"、"咱兩（倆）"、"咱們"、"奴"、"俺"、"俺們"、"阿答"、"本渠"、"吾"、"朕"等20多個[5]。其數量之多，遠遠超過了現代漢語中的第一人稱代詞。這些代詞在書中的分佈情況各不相同。有的出現的頻率高，如"我"、"我們"、"咱"等；有的出現的頻率低，如"朕"、"俺"等詞；有些代詞只在個別章節中出現，如"阿答"、"奴"等，詳見表1。

表 1　第一人稱代詞分佈及其所占百分比

詞項	（一）"我"字系列				（二）"咱"字系列			（三）方言系列		（四）其他		
	我	我們	我家	我儂	咱	咱們、咱每	咱兩	阿答	俺們	余、予	吾	朕
次數	2190	170	12	3	136	14	3	4	2	34	25	7
百分比	84.23	6.54	0.46	0.12	5.23	0.54	0.12	0.15	0.08	1.31	0.96	0.27

一、"我"字系列

（一）我

"我"這個詞的本義為武器，先秦時就借用作代詞，自秦以降，它也就主要以一個代詞的面目出現，雖然從先秦到明清乃至現代，語音免不了有些變化，但"我們可以相信近代漢語裏的'我'跟古代漢語裏的'我'是一個語詞"。[6]呂叔湘先生認為：第一人稱代詞"我"和"吾"是有區別的，兩者的區別是"主語

---

4 梅祖麟. 梅祖麟語言學論文集[M]. 北京：商務印書館，2000：150-155.

5 有些文言代詞由於數量太少，且與當時口語脫離，故未在表中列出。

6 呂叔湘，江藍生.近代漢語指代詞[M]. 上海：學林出版社，1985：2.

跟領格‘吾’多‘我’少；賓語基本上用‘我’”。王力先生進一步指出，當“我”用於賓格時，“吾”往往用於主格，而當“吾”用於領格時，“我”往往用於主格。在任何情況下，“吾”都不用於動詞後的賓格[7]。這些觀點都在先秦的文獻中得到了證實。到了東漢以後，這種情形才大有改觀。主要表現爲“吾”和“我”用法上的區別開始消失，以及“我”對“吾”的全方位置換。但這種置換自漢以降一直存在反復。一般認爲，後人仿古是造成這種拉鋸戰的主要原因。到了唐代，“吾”已經基本上處於相當次要的位置了。元明時期，像《水滸傳》中雖然也用“吾”，但主要是出於修辭的考慮。到明代中晚期，“我”已經占有絕對的優勢了。《型世言》中的“我”[8]，共出現 2190 次，占全部第一人稱代詞的 84.23%，主要用作主語和賓語，有時還用作定語。

1.用作主語。文中此類用例最多，如：

①我是個書生，已曾食廩，於義不可。（第 1 回）

---

7 王力. 漢語史稿[M]. 北京：中華書局，1980：262.根據筆者的研究，“吾”“我”其實是一個含義的兩種不同表述。即從語音學的角度看，在吳方言小片的金壇話中，“吾”“我”二字的讀音是很相近的。“吾”讀音一爲鼻音，讀音二爲非鼻音。“吾”的第一種讀音因爲是鼻音，故一般放用在句首，作主格；而如果放在句中作賓格，則一般容易和其他字音混淆 —— 如“西安”二字的拼音就中間要分隔符號號。“吾”的第二種讀音，一般用於對自己長輩的稱呼如“吾娘”“吾叔”“吾爹”，讀音類似“奧娘”“奧叔”“奧爹”，一般不單獨作主語或賓語。因此，在金壇話中，“吾”只能出現在主語的位置。而“我”則主語賓語均可充當。而在李榮主編、葉祥苓編纂的《蘇州方言詞典》則認爲，“吾”跟“我”的讀音是相同的，兩個字只是寫法不同而已。葉祥苓.蘇州方言詞典[M].南京：江蘇教育出版社 1998：176.

8 《型世言》中的“我”有時也作“自我”。這種用法，在現代的吳方言中依然存在。如：

但自我想來，時窮見節，偏要在難守處見守，即籌算後日。（第 10 回）

②孟端道："我諸暨王冕也，豈肯從賊作奸細乎！"（第 14 回）

③勞氏道："寧可我做生活供養你們，要死三個死，嫁是不嫁的。"（第 3 回）

④我只有身上這件衣服，你只替我說表弟王喜拜就是了。（第 9 回）

⑤只是沈剛母子甚是不悅，道："我是主母，怎不用錢？反與家奴作主！"（第 15 回）

上述 5 例中，例①—例②中的說話人分別為秀才高賢甯、著名畫家兼詩人王冕。而例③—例⑤中的說話人分別為農婦、流浪漢、地主婆，社會各階層都已基本涵蓋在內。由此可見，"我"已成為一個社會通用的人稱代詞。

作主語的"我"有時同"你"對舉，表泛指。這種情形在現代漢語中還存在。如：

⑥兩個打了些酒兒，在房裏你一口、我一口，吃個爽利。（第 5 回）

⑦……你一句，我一句，那三府道："知道，我一定重處。"（第 26 回）

⑧穎如道："這不過一時權宜上得，你知我知，哄神道而已。"兩個計議……（第 28 回）

⑨正在床中思想，只見十餘隻烏鴉咿咿啞啞只相向著他叫，這些丫鬟、小廝你也趕、我也趕。他那裏肯走？（第 23 回）

2.用作賓語。這是代詞"我"的第二大用法，其用例數量居第二位。"我"及其短語可以充當一般賓語、介詞短語的賓語、雙賓語的間接賓語，或與補語連用作賓語。

（1）直接充當單音節動詞的賓語，如：

⑩兒，爹娘一般的，你爹去了，你要去尋，同在一家的，反不伴我？（第9回）

⑪人各有性命，何得只來衛我？（第17回）

（2）充當介詞短語的賓語，如：

⑫君念友誼，可爲我周旋。（第1回）

⑬這薄情的，你就拿定一時富貴，就把我撇去了。（第31回）

⑭适才把我推一交，要去撏他頭髮時，反將我臂膊上打兩下，老兒走來，又被他丟一交。（第35回）

⑮昨日我夢中，神人已對我說了。快將那事招來。（第35回）

（3）充當雙賓語的間接賓語，其結構一般爲"謂詞+我+直接賓語"，如：

⑯你請我一個東道，我叫去了那沈實，用你。（第15回）

⑰……誣人做賊，夾拶壞了我的家人，加我一個賊名，一個前程幾乎壞了，還破費我幾兩銀子……（第36回）

（4）與補語連用作賓語，其結構一般爲"謂詞+補語+我"，如：

⑱周顛道："你這替死鬼，要淹死我麼？……"（第34回）

⑲徐英道："你還要打死我！"（第35回）

3.用作定語，一般不帶"的"。"我"單獨或與其他詞聯合成短語來修飾中心語，中心語有單音節詞語、雙音節詞語以及多音節詞語等。

（1)單獨作定語。"我"修飾的多爲雙音節中心語，如例⑳一例㉔。但中心語爲單音節的也有，如例㉕。

㉑他父親道："這畢竟是我兒子！"（第1回）

㉑我營中新死了一個督兵旗牌，不若你暫吃他的糧。（第 9回）

㉒但是我友人歿在灤州，遺有二女，托我攜歸杭。（第 14回）

㉓這等是你通同光棍，假照誆騙我銀子了。（第26回）

㉔若是我徒弟去時還了俗，可也生得出你這樣個小長老哩。（第35回）

㉕徐婆笑道："這是我的計。銀子在此，你且收了。"（第3回）

（2）與其他成分構成短語後作定語，如：

㉖罷，且看你我時運捱得過，大家也都逃了性命出，逃不出再處。（第25回）

㉗穎如道："當日你原叫他看仔細，他也看出一張不像，他卻又含糊收了。他自留的酒碗兒，須不關你我的事。"（第 28回）

㉘田有獲又一把去扯妙智起來："我這徐相公極脫灑的。"（第29回）

㉙我想我這妻子生得醜，又相也相得寒，連累我一生不得富貴。（第31回）

㉚你不聽得我那邊朱監生老婆，做人本分，只爲一時沒主意，應了丈夫討小。後來見丈夫意思偏向，氣不忿吊死了。（第 16回）

《型世言》中，代詞"我"的幾個特點：

1. "我+的+中心語" 在《型世言》中是 "少數派"。

一是這種結構多用於口語，特別是對話中，如例㉕；二是這種用法所占比例較少。根據筆者初步測算，"我" 用作定語的用例，《型世言》中約有 500 至 600 例，而 "我+的+中心語" 結構僅有 39 例，其所占比例不到 10%。這表明，在明代末年，結構助詞 "的" 作爲定語標誌詞才剛剛進入大眾的視野。[9]

2. "我" 一般表單數，但有時也表複數。如：

㉛昨日水來，我娘兒兩個收拾得幾匹織下的布、銀子……裝了兩個小黑箱，縛做一塊，我母子扶著隨水汆來。（第 25 回）

㉜不若你另嫁一個，一來你得吃碗飽飯，我母子僅可支持半年。（第 33 回）

㉝但我母子得公鋤強助弱，免至相離，無以爲報。（第 39 回）

香阪順一指出，漢語的人稱代詞本來就沒有單複數的區別，強調表示複數的話，不是靠單詞內部的變化 —— 用曲折或綜合的方法，而是採取附加其他詞語的分解式的方法。如添加 "輩、屬" 等詞或詞綴 "們"[10]。這說明，明代使用的 "我" 還殘留著表示複數的用法，這種現象一直延續到清代中下葉的《兒女英雄傳》等著作中。而現代漢語中，"我" 一般只表示單數，複數用 "我們"。

---

9 在《金瓶梅詞話》中，"的" 還是一個功能複雜的助詞，其功能有：1 作結構助詞，用於定語後、補語前、狀語後；2 作語氣助詞，用在句尾，表肯定；3 作動態助詞，相當於 "著" 或 "了" 的功能。尚無作定語標誌的用法。具體參見曹煒.《金瓶梅詞話》虛詞計量研究[M]. 廣州：暨南大學出版社，2011：62-88.

10 香阪順一.白話辭彙研究[M]. 北京：中華書局，1997：34-35.

3. "我"與第二人稱代詞"你"對舉,表泛指,"你、我"指稱特定人群裏的任一個體。如上文的例⑥—例⑨及例㉞。

㉞你一叢,我一簇,倒也不是個念佛場,做了個講談所。(第4回)

"我、你"的這種用法,剛開始可能只是對舉,還有一定的實指的意味。如例⑥、例⑧,對話雙方只有兩個人。後來才慢慢過渡到表泛指。呂叔湘、江藍生認爲到了後期近代漢語裏才開始盛行[11]。這種用法,源於民間口語,直到現在仍在使用。

4. "我"與"輩"等表示類別的詞連用表示某一類人,表複數。文中有4例。到了清代,就更少見了,如清代中下葉的《兒女英雄傳》中,"我輩"僅有2例。

㉟佳人難得,才子難逢。情之所鐘,正在我輩,郎何恝然?(第11回)

㊱曹俊甫道:"若是果然成親,我輩中著這個窮酸,也覺辱沒我輩。"(第18回)

(二)我們

"我們"一詞,在宋元時期就有了。《京本通俗小說》裏就有關於"我們"的例子:"這裏也不是人去處,我們去休。"[12]而且呂叔湘先生認爲:"咱們"一般存在於北方音系的官話中,而"我們"一般存在於南方音系的官話中。《型世言》中的"我們"共出現170次,"咱們"只出現13次,從中也可以看出《型世言》一書帶有明顯的南方音系官話的痕跡。

---

11 呂叔湘,江藍生.近代漢語指代詞[M]. 上海:學林出版社,1985:20.
12 呂叔湘,江藍生.近代漢語指代詞[M]. 上海:學林出版社,1985:65.

　　關於"們"的來源有多種看法。呂叔湘先生認爲，"們"字始見於宋代，文獻中用"懑、滿、瞞、門、們"來標寫，到了元代改用"每"，明朝中葉以後"們"字才多用起來[13]。他猜測"輩"與"們"有語源上的關係：古代漢語的"輩"先發展爲"弭"、"偉"，再發展爲"們"；江藍生也認爲"們"是由"弭"發展來的，她提出"們"、"麼"同源，都由"物"演變而來，並且用"疊置式音變"來解釋其演變。而太田辰夫在《中國語歷史文法》中認爲，"們"的語源是"門"，大概指同一族的人；俞敏在《古漢語的人稱代詞》中也持相同看法。[14]

　　《型世言》中的"我們"共出現 170 次，占全部第一人稱代詞的 6.54%。其主要用法如下：

1.用作主語

　　（1）單獨作主語，此類用法所占比例較大，如：

　　①歸老親娘道："看起簽來都是好，我們便結了親罷。"（第10 回）

　　②花、甘兩個一齊又到書房內："我們擲一回，耍一耍！"（第 15 回）

　　③季澤道："哥哥，我們都有田可耕，有子可教，做這等卑官作甚？"（第 16 回）

　　④前日看的石城山，是個天險，我們且據住了，再著人勾連套虜，做個應手。（第 17 回）

　　⑤張知縣便一把扯了那官，道："我們堂上去收去。"（第22 回）

---

13 江藍生. 近代漢語探源[M]. 北京：商務印書館，2000：143.
14 蔣紹愚. 近代漢語研究概要[M]. 北京：北京大學出版社，2005：118.

（2）與其他詞一起作主語：有時，"我們"後緊跟表複數的名詞性成分，兩者構成同位短語，在語義上存在一種複指關係，一起作主語。但這種用例在書中所占的比例較少。一般出現在口語的對話中，如：

⑥我們做好漢的，爲何自己殺人，要別人去償命？（第 5 回）

⑦我們衙門裏人，匡得伸直脚打兩腿；你有身家的人，怎當得這拷問？（第 26 回）

⑧我們儒生，只可用心在八股頭上。脫有餘工，當博通經史。（第 11 回）

⑨過幾時，我們公衆償還。（第 13 回）

⑩明日我們四個與城上講，著他要薄喻義，問他一個本等充軍！（第 11 回）

⑪明日絕早，我們三個自來罷。（第 26 回）

例⑥—例⑦中，"我們"分別與的字短語、偏正性名詞短語聯合作主語；例⑧—例⑨中，"我們"與名詞聯合成名詞性短語，作句子的主語；例⑩—例⑪中，"我們"與數量詞聯合成名詞性短語，作句子的主語。由此可見，在《型世言》中，作主語成分的"我們"，其活動性已相當強了。

2.作賓語。"我們"及其短語可以充當一般賓語、介詞短語的賓語、雙賓語的間接賓語，有時後面還附有補語。

（1）"我們"直接充當一般賓語，如：

⑫是你姓汪的親眷送來的，可就叫他來替你了落我們。（第 6 回）

⑬錢公佈道："刑廳有甚事來見我們？"（第 27 回）

（2）"我們"充當介詞賓語，如：

⑭他婆婆不曉事，把我們都傷在裏邊。（第3回）

⑮解子道："這等是害我們了，首官定把我們活活打死。（第13回）

（3）"我們"充當雙賓語的間接賓語，這種例子書中相當少，如：

⑯媳婦你磨得著，我們鄰舍怎廝喚不回？又道我們沒有好樣，定要計議編擺他。（第3回）

⑰沈氏道："許出便與他，只是要還我們這幾張紙。"（第28回）

（4）與補語連用作賓語，其結構一般為"謂詞+我們+補語"。全書僅此2例。

⑱不若暫出見客，得他憐助，也可相幫我們些，不辜負我們在此伏侍你一場。（第1回）

⑲譬如水不余來，討這婦人，也得劬把銀子，也該厚待我們些。"（第25回）

（5）與其他詞語連用，構成同位短語或聯合短語，作賓語，如：

⑳二位小姐，可憐你老爺是個忠臣受枉，連累了二位，落在我們門戶人家。（第1回）

㉑告到官，少不得也要問我們兩鄰。（第3回）

㉒不若你依了丈夫，救全我們兩個罷。（第33回）

（6）與"的"組成的字短語作賓語，全書僅見1例：

㉓我們和尚錢財，十方來的，得去也難消受，怎要得我們的？（第29回）

3.用作定語。"我們"單獨或與其他成分、其他定語一起修飾中心語，與中心語之間有時添加結構助詞"的"，如例㉘，但這在全書中不多見。

㉔憑适才徐老娘做媒，說你要嫁，已送銀十兩與你媳婦，嫁與我們阿爹了。（第3回）

㉕就是縣裏送個貞節牌匾，也只送了有錢的，何曾輪著我們鄉村？（第4回）

㉖仲舉笑道："功名是我們分內事，也不愁不顯達。（第8回）

㉗王舉人道："我們今日東道都在他一見上，這決要出來的。"（第11回）

㉘朱玉的緊鄰張千頭道："我們隔壁朱小官也造化，收得個開口貨。"（第25回）

㉙他的日子短，我們的日子長。（第3回）

㉚發財道是："不知甚人，把我們新娘殺死。"（第21回）

在例㉔—例㉕中，"我們"修飾的是普通名詞。在例㉖—例㉗中，"我們"修飾較爲複雜的句法結構。在例㉘中，"我們"修飾"隔壁"，構成偏正短語，該短語又與"朱小官"構成同位短語或偏正短語。在例㉔、例㉚中，"我們"與修飾的普通名詞一起作介詞的賓語。

4.作兼語。如：

㉛若要我們見客，這斷不能，只我們三年在此累你，也曾做下些針指，你可將去貨賣，價你供給。（第1回）

㉜這都是你媳婦與徐老娘布就的計策，叫我們做的。（第3回）

㉝二位不是這樣了，人家請我們看病，怎請我來爭？（第16

回)

㉞昨日又來這邊攛掇我們穿戴,曉得我們沒人……(第 36
回)

值得注意的是,"我們"偶爾也表單數形式,如:

㉟虔婆急了,來見道:"二位在我這廂,真是有屈……如今
只是啼哭,並不留人,學些彈唱。皇帝知道,也要難爲我們……"
(第 1 回)

㊱胡似莊慌道:"這老爺上明不知下暗。我們九流,說謊騙
人,只好度日,那裏拿得三兩出來做盤纏上京?……"(第 31
回)

在例㉟中,"我們"指的是妓院主事的虔婆(一個人)。在
例㊱中,"我們九流"指的是說話者胡似莊自己,二者均爲單數
概念,卻用"我們"。呂叔湘先生[15]早就注意到了這一點,按照
中國社會傳統文化來理解,家族、團體、乃至行業的重要性遠遠
大於個人。因此,凡是跟家族、團體、行業等相關的人或事物,
都不說"我的"、"你的",而說成"我們的"、"你們的"
("的"字通常省去)。這種狀況,在現代漢語中依然存在。

**結論:"我們"一詞日漸活躍,與其他詞語及短語等結合能
力日益增強**

"我們"一詞在反映明代中晚期語貌的《金瓶梅詞話》中僅
有數十例,且以"我每"出現爲主,其所占第一人稱代詞的比例
爲 0.5%都不到[16]。而"我們"一詞在反映明末語貌的《型世言》

---

15 呂叔湘,江藍生.近代漢語指代詞[M]. 上海:學林出版社,1985:72.
16 曹煒.《金瓶梅詞話》虛詞計量研究[M]. 廣州:暨南大學出版社,2011:1.

中共出現 170 次,占全部第一人稱代詞的 6.54%。到了清代中下葉,"我們"一詞在《兒女英雄傳》中共出現 464 次,所占第一人稱代詞的比例上升到 7.82%[17]。可見其使用頻率越來越高。

(三)我家

根據呂叔湘先生的意見,這裏的"家"是代詞的語尾,有作領格用的,也有不作領格用的[18]。

《型世言》中作爲代詞的"我家"共有 12 例,占全部第二人稱代詞的 0.46%。

1.作主語。共 4 例,如:

①那虔婆滿心歡喜道:"好造化,從天掉下這一對美人來,我家一生一世吃不了。"(第 1 回)

②聞得雲台、離堆兩山,我家有山千來畝,向來荒蕪,不曾斫伐,你去與我清理、召佃,房裏什物、衣服,我都不要,你帶了妻小快去,不要惱我!(第 15 回)

③虧得王氏道:"你看,我家無辜,擔了一個窩家臭名,還在這裏要賠贓。(第 36 回)

例①中的"我家"指的是教坊的虔婆,例②中的"我家"指

---

17 按此思路,元末明初的《忠義水滸傳》其書中的"我們"的用例應該比《金瓶梅詞話》更多,但事實上《水滸傳》中的"我們"有 365 例,占全部第一人稱代詞的 7.13%,這可能是受到方言影響的緣故。同時也顯示了各個地區方言演化進程的不均衡。見曹煒等.《水滸傳》虛詞計量研究[M]. 廣州:暨南大學出版社,2009:235.

18 呂叔湘,江藍生. 近代漢語指代詞[M]. 上海:學林出版社,1985:87-88.
  呂叔湘先生給了兩個例子:
  1.汝家邪(爺)死。(《景德傳燈錄》第 16 卷 16 頁)
  2.便作你家年紀老。(《元曲選》第 87 種第 3 折第 3 曲)

的是敗家子沈剛，例③中的"我家"相當於"我丈夫"。在這 3
例中，"我家"所表的單複數概念似乎不是十分清晰，如果看成
複數概念也行，"我家"＝"我們家"。

2.作定語，相當於"我家的"或"我們家的"。如：

④我家老不死、老現世阿公，七老八十，還活在這邊。（第
3 回）

⑤掌珠聽了，歎口氣道："我家老人家，怎得他離眼？"（第
3 回）

⑥沒甚得說！只我家一個小廁，他把一個小壇裝些米在裏
面，一個老鼠走了進去，急卒跳不出來。（第 16 回）

⑦這是我家牛，怎走在這裏？（第 17 回）

⑧沒廉恥養漢精，你只偷漢罷了，怎又來偷我家物事？（第
36 回）

例④—例⑧中可以看出，作領屬性定語的例子最多。

3.作賓語，共 3 例。

⑨只見江氏認得的真，道："正是我家的，面前是小女兒不
曉得，把簪腳搣破一眼。"（第 36 回）

⑩朝廷給發我家，便是我家人，教訓憑我，莫要鮮的不吃吃
醃的！（第 1 回）

⑪喜得他的哥哥李經，他道守節自是美事，不惟替陳家爭氣，
也與我家生光，時常去照管他。（第 4 回）

例⑨在這裏作係詞"我"的賓語。而例⑩—例⑪中的"我
家"在這裏作介詞賓語。

4.作兼語，全書僅此 1 例，如：

⑫李權道："仔麼他家吃飯，倒要我家送米去？"（第 4 回）

"我的"不說成"我的"而說"我家"，"你的"也不說"你的"而說"你家"，"他的"也不說"他的"而說"他家"。至今，這些用法仍在吳方言的常州話中使用。這似乎從一個側面印證了中國傳統文化中"家天下"的概念。

（四）我儂

"我儂"在全書中共出現 3 次，占全部第一人稱代詞的0.12%。這 3 例"我儂"都只出現於第 27 回，而未見於其他章節。明代浙江一帶地區"儂"字在多大程度上流行，一時恐難有定論，但在明末時期的浙江方言中肯定是存在的。《紅樓夢》中林黛玉便有《葬花吟》詩句："爾今死去儂收葬，未卜儂身何日喪？""儂"即"我"，表第一人稱。林黛玉出自蘇州，故用這個"儂"字，《紅樓夢》中也就她一個人用這個詞。由此我們可以推測"我儂"在《型世言》中的出現主要是由於方言的原因，如：

①錢公佈道："勿用，我儂有一計，特勿好說。"便沉吟不語。（第 27 回）

②老兄拿住子要殺，我儂來收扰，寫渠一張服辨，還要詐渠百來兩銀子，渠儂下次定勿敢來。"（第 27 回）

③"依我儂，只是老兄勿肯。"（第 27 回）

上述 3 個例子中，"我儂"在例①—例②中作主語，在例③中作賓語。

二、"咱"字系列

（一）咱

《字彙·口部》："咱，我也。莊北切。音 zá。""咱"作爲代詞出現在歷史上是比較晚的一個。呂叔湘先生認爲，"咱"是"自家"的合音，不見於宋以前的字書，但是宋詞中已經有這個詞了。因此，這是個俗字。從字形上看，"口"旁往往是俗字的符號，右邊從"自"，跟"自"字該有關係；從語音上說又恰是"自家"的切音。而且，"咱"表單複數分別承"自家"指"我"和"你我"兩義而來。[19]馮春田也贊同此觀點。香阪順一指出，"自家"從唐代開始使用，意思是"自己"；宋代後變成"我"，以後再變到現代北方話的包括式"咱們"[20]。而今"咱"在山西北部和綏遠境內的某些方言裏還能找到，"自家"仍保留在南方某些方言裏，如吳方言"蘇滬嘉小片"與"毗陵小片"中的常州話、無錫話、蘇州話。[21]

在《型世言》中，共有單用的"咱"136 例，占全部第一人稱代詞的 5.23%。其在全書的每個章節分佈並不均勻（下文將另行討論）。而就其單複數而言，在本書中主要還是以單數爲主，在少數例子中也能見到"咱"與表複數的名詞一起使用，表示複數概念的情形。主要用法如下：

1."咱"用作主語：

（1）"咱"一般單獨作主語，如例①—例③：

①鄧氏道："咱便不跟官。"（第 5 回）

②咱去不半年就回了。（第 12 回）

③咱不是差官，咱是問爺借幾千銀子用的。（第 22 回）

---

19 呂叔湘，江藍生. 近代漢語指代詞[M]. 上海：學林出版社，1985：97.

20 香阪順一.《水滸》辭彙研究（虛詞部分）[M]. 北京：文津出版社，1992：3-4.

21 筆者自幼在這三地生活、學習、工作。根據筆者調查，"自家"在這些區的方言中仍在使用。

（2）"咱"偶爾也與其他詞組成短語作主語，如例④—例⑤：

④正是這兩日燈市裏極盛，咱和你去一去來。（第5回）

⑤咱與你去尋他來。（第22回）

2. "咱"用作賓語。這可以分3種情況討論。

（1）直接充當謂詞賓語，如例⑥—例⑦：

⑥耿埴道："噫？這婦人看上咱哩！"（第5回）

⑦咱與他角了口，他要尋甚差使擺佈咱哩。（第9回）

（2）作介詞賓語，但是與"咱"結合的介詞不多，文中沒有出現"把、給、將、爲"等現代漢語常用介詞與"咱"連用的情況，如例⑧—例⑨：

⑧花子，你那裏來錢？也與咱瞧一瞧。（第5回）

⑨這等你明明是個賊了，還要推誰？你道是當的，你尋這個人來與咱。（第32回）

（3）作雙賓語的間接賓語，《型世言》中僅此1例。如：

⑩昨日承奶奶賜咱表記，今日特來謝奶奶。（第5回）

（4）作動詞賓語，後面帶補語，其句法結構爲"謂詞+咱+補語"，如：

⑪崔科道："昨日是他撞咱一頭，誰打他來？"（第9回）

⑫那嫂子道："哥，你去了叫咱獨自的怎生過？"（第12回）

⑬照這樣做去，客人不下馬，吃咱上去一連三枝箭，客人只求饒命。（第22回）

⑭張爺可點八個精壯漢子與咱拿著，張爺自送咱到城門外。（第22回）

在例⑪中，"撞咱一頭"是指王喜用頭撞了崔科一下，故"一頭”在這裏宜視作補語。相當於現代漢語中的句法結構“打他一下”。在例⑫中，“獨自的”也宜視作“咱”的賓語補助語，“叫咱獨自的怎生過？”即“叫咱獨自（一人），怎麼過（日子）”。在例⑬—例⑭中，“上去一連三枝箭”、“到城門外”皆爲賓語“咱”的補語。

3.作兼語。如：

⑮今日工部大堂，叫咱買三五百兩尺頭，老爺爺便同去一去。（第5回）

⑯嫂子嫌咱鎮日在家坐，教咱出來的。（第22回）

《型世言》中，“咱”作兼語的只有這兩個用例。如果把例⑬中的也視作兼語，似也說得通。這足以表明，在近代漢語口語材料中，許多用例是粗疏的。語言的規則正是在這種混沌中發展前行。

4.作定語，這裏的“咱”相當於“我的”。中心語有單音節、雙音節、三音節和多音節[22]。如例⑰—例⑳：

⑰忘八！你打死了咱人，還來尋甚麼？（第9回）

⑱崔科道：“你首！不首的是咱兒子。”（第9回）

⑲銀子留在這邊，咱老爺爺瞧著。尺頭每樣拿幾件去瞧一瞧，中意了便好兌銀。（第5回）

⑳咱那爛驢蹄，早間去，直待晚才回……哥要來只管來。（第5回）

上述作主語、賓語、兼語的“咱”基本上表單數，相當於現代漢語中的“我”。

22　“咱”作定語，偶爾也用結構助詞“的”，全書僅見一例：鄧氏忙迎著道：“哥，不吃驚麼？咱的計策好麼？”（第5回）

其實，在《型世言》中，"咱"也有表複數的用例。如：

㉑哥，你去了，叫咱娘兒兩個靠著誰來？你還在家再處。（第9回）

㉒張老三卻洋洋走來，大聲道："誰扭咱崔老爹？你吃了獅子心來哩！"（第9回）

㉓韃子是咱一家人，他來正好趕著做事，咱們怎去躲？（第17回）

㉔咱一兩個人，了他不來。已尋了幾個兄弟，哥可來麼？（第22回）

例㉑中的"咱娘兒兩個"，"咱"和"娘兒兩個"構成複數名詞，相當於"我們娘兒兩個"。例㉒中的"咱崔老爹"相當於"我們崔老爹"，表示的是複數概念，因為"張老三"是當著眾人的面說的，表面上還向著"崔科"，其實是來充當調解人的。所以，此處解釋為複數比較符合漢語的心理習慣，一般不說成"我崔老爹"。例㉓—例㉔中的"咱"也是表複數概念。

結論："咱"是個源於北方民間的俗詞，方言詞

"咱"在《型世言》中的分佈並不均勻，全書"咱"總共出現了 155 次（含"咱兩"、"咱每"、"咱們"），其中單用的"咱"有 136 例，占全部第一人稱代詞的 5.32%。在第 5 回中，"咱"出現了 48 次；在第 9 回中，"咱"出現了 35 次；在第 22 回中，"咱"出現了 40 次。而與此相對的是，占全書章節 70% 的其他 29 回中，"咱"作為代詞一次也未出現，讓人覺得有點費解。詳見表 2。

表 2　"咱"在《型世言》各章回中分佈極爲懸殊

出現次數 回數	I	II	III	IV	V	VI
	0	1-9	10-19	20-29	30-39	40-49
（括弧內爲 "咱"出現的 次數）	第2-4回（0） 第6-8回（0） 第10-11回（0） 第15-16回（0） 第18-19回（0） 第21回（0） 第23-26回（0） 第28-31回（0） 第33-39回（0） 共29回	第1回（1） 第12回（8） 第14回（6） 第17回（9） 第20回（1） 第27回（3） 第32回（1） 第40回（2） 共8回	0	0	第9回 （35）	第5回 （44） 第22回 （40）
百分比%	0	20.7	0	0	25.1	54.2

　　這是不是每一回的篇幅長短不一造成的呢？下面，我們對全書每一回的實際篇幅及字數進行統計。與表 2 相對應，我們得出了表 3 的資料，結果表明："咱"的分佈懸殊與每章節的篇幅長短並無直接聯繫。

表 3　"咱"的分佈懸殊與《型世言》每章節的篇幅長短無聯繫

	I	II	III	IV	V	VI
回數		1（11，771） 12（6，583） 14（6，413） 17（8，932） 20（7，618） 27（12，636） 32（7，978） 40（7，488）	0	0	9（11，365）	5（9，055）、 22（8，447）
字數						

注：列與表 2 相對應。

　　從表 3 中我們可以看出：第 II 欄中第 27 回的篇幅是 VI 欄中第 22 回的 149%，但"咱"字出現的頻率卻只有第 22 回的 7.5%。這一點就更足以說明："咱"的分佈跟篇幅的長短是沒有關係的。"咱"在《型世言》中分佈的不均勻，可能還是要從方言的角度來考察，即"咱"的使用與說話人的方言特徵有相當密切的關係。

　　"咱"出現頻率最高的章節是《型世言》第 5 回《淫婦背夫遭誅，俠士蒙恩得宥》（共 44 例）。文中所敘之事發生在宛平縣。宛平縣原屬北京市，1952 年撤縣設區（今北京西城區、宣武區、豐台區、石景山區、海澱區、門頭溝區之全部或大部都曾爲原宛平縣轄）。說話人（書中所謂的"俠士"、"淫婦"）操的應爲北方方言，故用"咱"，且所謂的"淫婦"用"咱"的頻率很高。可能說書人或作者以此來顯示對她的否定。

　　"咱"出現 35 例的章節是《型世言》第 9 回《避豪惡懦夫遠竄，感夢兆孝子逢親》。文中所敘之事發生在山東青州安丘縣。說話人基本爲當地村夫野老，如農婦霍氏、村官崔科及和事佬張老三等等。其文化程度相當低下，所用詞語應該爲當地的方言甚至是俚語。

　　"咱"出現 40 例的章節是《型世言》第 22 回《任金剛計劫庫，張知縣智擒盜》。文中所敘之事發生在大名府滑縣，其縣治現今仍在，位於河南省東北部，也是北方方言區。其說話用"咱"的基本爲當地的土匪。

　　由此可見，"咱"不但是個俗詞、方言詞，而且可能與中國 10 世紀以來，宋金夏三足鼎立的政治格局有一定的關係，與北方少數民族與漢民族的融合有密切的關係。宋金時期，宛平、安丘和滑縣當時都在金朝的統治之下。

（二）咱們　咱每

　　"咱們"的寫法其實不止一種，或作"咱們"或作"偺們"。"偺"字在元曲裏多寫作"昝"或"喒"，"喒"是"昝"的異體。《廣韻》裏作"昝，子感切，姓也。"呂叔湘先生由此推斷"大約最初就是用這個冷僻的姓氏來諧'咱們'合音，後來才加上口旁或人旁。"[23] "們"字始見於宋代。唐代的文獻裏有"弭"和"偉"這兩個字，都當"們"用。宋代文獻裏，"們"字有"懣（滿）"、"瞞"、"門（們）"等寫法。元代的一些話本中常常寫作"每"，也有少數寫作"們"的，這種情況一直延續到明代，到了明代中期以後，這種情況才發生轉變。但《金瓶梅詞話》中還是用"每"。

　　在《型世言》中，"咱們"與"咱每"相比，前者的使用頻率要高得多，"咱每"在全書中僅見 1 例，而"咱們"則有 13 個例子。而同時期的《警世通言》中，"咱"僅有 1 個例子（第 24 卷　玉堂春落難逢夫）。而後 100 多年的《紅樓夢》中，"咱們"的使用卻很普遍，《紅樓夢》中共有"咱們"583 例。

　　《型世言》中的"咱們"（含"咱每"），共有 14 例，占全部第一人稱代詞的 0.54%。其主要用法如下：

　　1."咱們"作主語：

　　①（火敬）道："韃子是咱一家人，他來正好趕著做事，咱們怎去躲？"（第 17 回）

---

23 呂叔湘，江藍生. 近代漢語指代詞[M]. 上海：學林出版社，1985：83.

②只見張把腰一馬趕到，道："哥，跌壞了麼？好個所在，咱每不知道。這番韃子來，咱們只向這廂躲。"（第17回）

③咱們這裏短刀石塊一齊上，怕不拿倒他？只是列位兄弟都要放乖覺些。（第22回）

④二姐道："他捶不起，咱們捶得起來，要送老子下鄉，他也不肯去，條直招個幫的罷。"（第22回）

2. "咱們"作賓語，後面往往加賓語補語，如例⑤—例⑦：

⑤大姐道："只要問他討咱們做甚來？咱們送他下鄉去罷。"（第5回）

⑥客人的貨有限，庫中是豆麥熟時征穀，有六七千銀子，這才穀咱們用。（第22回）

⑦伏戎道："罷，做咱們不著……"（第22回）

⑧遠岫道："這兩小廝誆了咱們，去拿他……"（第40回）

3. "咱們"作定語：

⑨目今劉參將到任，馮指揮在咱們人家要磕頭禮……那時我們舉事，自然聽從。（第17回）

⑩這兩個回道："道是咱們父母官。"（第20回）

（三）咱兩（個）

《型世言》中的"咱兩"共有3例，占全部第一人稱代詞的0.12%。其中"咱兩"出現1次，"咱兩個"出現2次，用作主語或賓語。如：

⑪我道夜間我懶得開門，你自別處去歇……咱兩個且且快活一夜。（第9回）

⑫任敬道："論起這事，只咱兩做得來。"（第22回）

⑬他怎道奶奶體訪裏邊人？終不然是咱兩個？（第 40 回）

三、方言系列

（一）阿答

"阿答"也是第一人稱代詞，在《型世言》中出現 4 次，占全部第一人稱代詞的 0.15%。該詞名不見經傳，應該是個方言詞，其用法相當於"我"，均出現在第 27 回中，主要用作主語和定語。如：

①老兄勿用動氣，個愚徒極勿聽說，阿答也常勸渠，一弗肯改……（第 27 回）

②個娘戲！阿答雖然不才，做個樣小生意，阿答家叔洪僅八三，也是在學。（第 27 回）

③洪論九十二舍弟見選竹溪巡司。就阿答房下也是張堪與小峰之女。（第 27 回）

筆者查閱了一些資料，未在近代漢語的其他文獻中發現"阿答"的用例。因《型世言》中只有第 27 回中有這麼 4 個例子，而且是私塾教師與皮匠的對話，故該詞很可能只存在於明代浙江紹興的方言中，可能還是鄉村俚語，一般人聽不懂。因為"阿答"一詞中的"阿"字很明顯是吳方言辭彙，而"答"字顯然與"你達"、"我達"等現代衢州方言有著親密的語源關係。如今蘇州話仍有"哀搭（這裏）、歸搭（那裏）"的說法。

（二）俺（們）

"俺（們）"是個俗字，始見於宋代文獻，呂叔湘先生認為俺即是"我們"的合音，"既然是'我們'的合音，自然是用於複數"[24]但現在有學者發現其用於單數的例子多於複數。"俺"在《型世言》中用例極少，全書共 2 例，占全部第一人稱代詞的 0.08%。一個作定語，另一個作主語。如：

①那左首的雷也似問一聲道："你甚麼官？敢到俺軍前緝聽！"（第 7 回）

②俺們乘勢殺出，投了韃子，豈不得生？（第 17 回）

"俺"（含"俺每"、"俺們"）在《金瓶梅詞話》中出現 769 例，而在《型世言》中卻只出現 2 例，而且兩個說話的人不是倭寇裏的小兵，就是北方的叛變作亂者。我們可以大膽推測：到了明代，在江浙一帶的吳語區已經不用"俺"字了。否則的話何以一個"俺"字都未見於其他以吳方言見長的 11 回故事中呢？[25]

四、其 他

(一) 余 予

"余"與"予"讀音相同，"余"見於甲骨卜辭，"予"是後產生的，兩者的意義和用法基本上沒有區別。兩者在歷史文獻中的使用情況是：金文、《左傳》、屈原賦多用"余"，分別使用"余"60 次、"予"0 次，"余"164 次、"予"2 次，"余"91 次、"予"11 次。而《尚書》、《詩經》、《論語》、《孟子》都不用"余"，分別使用"予"231 次、90 次、23 次、40 次。大概"予"在周代產生以後逐步取代了文學作品裏的"余"。六朝

---

24 呂叔湘，江藍生.近代漢語指代詞[M]. 上海：學林出版社，1985：79.
25 參見本書"前言"第 1 頁第三節"全國各地的方言或多或少皆有體現，尤其是吳方言"。

以後，“余、予”在口語裏逐漸消失，但普遍用於文言作品裏，可能是文人仿古的一種反映。[26]

　　《型世言》中“余”[27]出現 1 次，而“予”出現了 33 次，占全部第一人稱代詞的 1.31%。兩者多用於文言式的自敍。“予”的用例以名妓王翠翹、才女謝芳卿爲多，皆表單數。下面試對“予”進行分析：“予”主要出現在《型世言》的第 7 回、第 11回及第 39 回中。其中第 7 回有 15 例，第 11 回有 14 例，第 39回有 3 例。

　　1.“予”作主語，有 16 例，如：

　　①華旗牌請見，曰：“予向日蒙君惠，業有以報。今督府行且賞君功，亦惟妾故。”（第 7 回）

　　②予與明山亦可借手保全首領，悠游太平。（第 7 回）

　　③予甫入舟，生邊挈銀去。予竟落此。（第 11 回）

　　④金甲神道：“聘娶姬侍，不特予一人爲然。予於此女，誓必得之。（第 39 回）

　　從上述例子中可以看出：“予”一般單獨作主語，如例①、例③、例④。像例②這樣，“予”與其他詞語聯合成短語作主語的情況一般不多見。

　　2.“予”作賓語，有 10 例，如：

　　⑤上帝憫予烈，且嘉予有生全兩浙功德……（第 7 回）

　　⑥今至此，督府負予……（第 7 回）

26 廖序東. 論屈原賦中人稱代詞的用法[J]. 中國語文，1964（5）：360. 轉引自向熹. 簡明漢語史（下）[M]. 北京：商務印書館，2010：76-77.
27 “餘”在《型世言》中僅見一例，而且還是詩文中的：吳霜點點發毛侵，不改唯余匪石心。（第 8 回）

⑦鄰有惡少，時窺予。（第 11 回）

⑧尋以貧極，暗商之媒，賣予娼家……（第 11 回）

從上述例子中可以看出："予"一般單獨作賓語，如例⑥—例⑦。像例⑤這樣，"予"充當雙賓語和"予"作賓語且後面加補語的情況並不多見。

3."予"作定語，有 6 例，如：

⑨不意於利其有，偽被盜，盡竊予衣裝。（第 11 回）

⑩不意薄生愚妄以逃，駭妾謂予弟聞之予父……（第 11 回）

⑪昔漢武帝游河上，藻兼因東方朔獻女侑觴，蓋予女赤光也。（第 39 回）

4."予"作兼語，有 1 例，如：

⑫因令予盡挈予妝奩，並竊父銀十許兩，逃之吳江伊表兄于家。（第 11 回）

從上述關於"予"的分佈和語法功能的分析可以看出：全書 40 回，但僅有 3 回中使用"予"且用例主要集中在第 7 回和第 11 回，由此我們可以斷定：各章節代詞選用的差異，與每一回撰寫者個人風格的迥異有密切的關係。這也再一次表明《型世言》是小說的彙編本，它絕非陸人龍一人獨撰。

（二）吾

最新研究表明："吾"起源於上古漢語的"魚"字（讀音同恩，陽平）。在先秦的甲骨文中，"魚" —— 即後來的"吾"字。只能用於主語位置，而後來的"吾"可以通用於主語、定語、賓語位置。[28]關於"吾"與"我"的區別,胡適認爲,上古漢語中,主語跟定語"吾"多"我"少,賓語基本上用"我",王力對此持贊同觀點[29]。呂叔湘先生在此基礎上得出推論:大概在語音上"我"字是比較強勢的一個,周秦之際它已經擴展到"吾"字的領域。秦漢以後的口語裏很可能已經統一於"我","吾"字只見於書面文字。[30]吳福祥研究了"我"、"吾"在唐五代時期幾種文獻的使用情況,認爲:最遲在唐及五代,漢語實際口語中第一人稱代詞完全統一於"我"[31]。當然,這只能說是主流語音或者說京畿地區或者類似的都市、重鎮的通用語音以用"我"作爲第一人稱的首選。漢語方言至今十裏不同調,百里不同音。有的地方口語中,至今仍有"吾"的應用。[32]

《型世言》中的"吾"只出現了"吾儒"這個固定組合,用於讀書人的自稱,其含義基本上爲"我們讀書人"。"吾"的使用情況如下:

全書中共有作代詞的"吾"出現 25 例,其中詩歌中有 7 例,白話中有 18 例,主要用作主語(共 10 例)和定語(共 8 例)。我們對白話中的"吾"作一下分析。白話中"吾"的主要使用者分別爲:督府(3 例)、說書人(3 例)、劉伯溫(3 例)、朱愷母親(1 例)、尚書(1 例)、秀才林森甫(2 例)、商人(1 例)、儒生陸仲含(1 例)、官員田副使(1 例)。可見其使用者主要還是有一定身份或修養之人或者爲了突出人物的身份或其特徵。當

---

28 楊伯峻,何樂士. 古漢語語法及其發展 [M]. 北京:語文出版社,1992:94.
29 具體可參見上文中關於"我"的論述及與"吾"的區分。
30 呂叔湘,江藍生. 近代漢語指代詞[M]. 上海:學林出版社,1985:2.
31 吳福祥. 敦煌變文語法研究[M]. 長沙:嶽麓書社,1996:4.
32 據筆者調查,泰州地區方言中,還有該詞的使用。

然陸仲含是江蘇昆山人，明末昆山方言中也有可能會用"吾"。
《型世言》中的"吾"占全部第一人稱代詞的 0.96%。其主要用
法如下：

1.作主語：

①（督府）曰："奴亦熱中乎？吾何惜一姬，不收其死力？"
（第 7 回）

②督府閱申文，不覺淚下，道："吾殺之！吾殺之！"（第
7 回）

③伯溫道："甚麼景雲！這是王者氣，在金陵，數年後，吾
當輔之。"（第 14 回）

④森甫道："吾盡吾心，也不逆他詐。"（第 19 回）

⑤我有個表兄盛誠，吾見在蘇州開段子店，不若與他十來個
銀子興販，等他日逐在路途上，可以絕他這些黨羽。"（第 22
回）

⑥笑是吾人妄作思想，天又巧行窺伺，徒與人作話柄而已。
（第 31 回）

⑦吾儒幹全天地，何難役使鬼神？況妖不勝德，邪不勝正，
乃理之常。（第 39 回）

⑧這都是以正役邪，邪不能勝正，也是吾儒尋常之事。（第
39 回）

其中，在例①—例②中說話者為都府。前者是單用，而後者
是連用。連用的不僅僅是這一例，在例④中也是"吾"字連用，
後一個"吾"作定語。其說話人為林森甫，也是讀書人，後來入
仕的。這說明"吾"字在一定的知識階層或上流社會，使用還是
比較頻繁的。在例③中，劉伯溫在其他人看到奇觀大為驚駭之時，

說這種話,用"吾"字爲的是顯示其見識過人之處。在例⑤中,朱愷之母一句話中,"我""吾"都用,可能從一定程度上顯示了其識文斷字,較有主見。在例⑥中,"吾"與"人"連用,也是比較少見的一種用法。在例⑦—例⑧中,其他回數的口語中均未見的"吾儒"這裏居然出現了 2 次,且都在同一回數中。這表明說書人或編撰者自命清高、欲教化世人的姿態。

2.作定語:

⑨甯今日女郎酸我腐我,後日必思吾言。(第 11 回)

⑩吾家尼父道:"血氣未定,戒之在色。"(第 11 回)

⑪伯溫曾對大海道:"吾友王孟端,年雖老,王佐才也……"(第 14 回)

⑫田副使與沈參將看了大喜道:"虜入吾轂中矣。"(第 24 回)

⑬老狐不聽吾言,果誤我。(第 40 回)

上述 5 例,分別爲秀才陸仲含、說書人、元末名士劉伯溫、將士、燕昭王墓前據說成了妖的華表。可見其使用者還都不是平民百姓,其民間基礎已經是相當薄弱了。當昆山的一東家之女向陸仲含表白時,他的酸腐之態,從一個"吾"字中就可以看出;另一種推斷爲:昆山方言口語中當時也許有此用法。

這類作定語的例子全書共有 8 例,占"吾"代詞總用例的 40%左右,但是作賓語的例子一個也沒有。這有力地證明了王力先生的論斷"主語跟領格'吾'多'我'少"是完全正確的。

(三)朕

"朕"產生於遠古,從商代到周秦呈現逐步衰落的趨勢:金

文裏出現 59 次，《尚書》裏出現 81 次，《詩經》裏出現 4 次，
屈原賦裏出現 6 次，《左傳》裏出現 2 次，《論語》裏出現 2 次，
《孟子》裏出現 4 次。後三部文獻中的"朕"都出現在引用古書，
稱述古事，模仿古人言語或周天子的詔令裏。[33] "朕"在先秦只
是一個普通的第一人稱代詞，並沒有貴賤之分。如："朕皇考曰
伯庸"（屈原《離騷》），自秦始皇後，才是皇帝（有時也用於
皇太后）專門的自我稱呼語。

　　《型世言》中的"朕"，共有 7 例，占全部第一人稱代詞的
0.27%。《型世言》中的"朕"主要是建文君和洪武帝的自稱，
此外沒有其他人使用該詞；在句中作主語或賓語。

　　①建文君道："朕孤身如何能去？"程編修道："陛下如決
計出遜，臣當從行。"（第 8 回）

　　②（聖上）至夜遍體邪熱皆除，霍然病起，精神還比未病時
更好些，道："朕與周顛別二十五年，不意周顛念朕如此。"（第
34 回）

　　從僅有的 7 個例子中也可以看出，"朕"在明代一般的口語
中幾乎消失了。如例①—例②。

**本節小結：《型世言》中，"我"是最主要的第一人稱代詞，
且雙音節化明顯**

　　從以上的討論中，我們可以看到：在《型世言》文本所反映
的時代，"我"已經成了主要的第一人稱代詞，在先秦時期使用
廣泛的"余"、"朕"、"吾"等，都已經退出了口語交際領域。

---

33 向熹. 簡明漢語史（下）[M]. 北京：商務印書館，2010：77.

"予"在書中的兩個章節中的使用頻率較高,只能說是個例外,因爲所占第一人稱代詞的比例只有 1.26%;此外,近代漢語中新出現的一些代詞,如"咱"、"我們"等,日趨常用。

另外,從方言的角度來看,本書中許多北方方言中存有的詞語均很難覓其蹤影。如"咱每"、"俺"、"俺每"在《金瓶梅詞話》中大量存在,而《型世言》中鮮見。相反,一些帶有浙江地方方言的辭彙倒還看得到。"我儂""阿答"這些詞都是在其他本子中難覓或根本沒有出現過的。

第二節　第二人稱代詞

第二人稱代詞指聽話人一方,上古漢語的第二人稱代詞有 6 個:女(汝)、乃、爾、而、戎、若。"女(汝)、乃"由商代流傳下來,"爾、而、戎"產生于周代。"女"、"汝"音義一致,屬於同詞異字。"若"與"女(汝)"日母雙聲,魚鐸對轉,可能是同源關係。[34]中古漢語把複雜的上古第二人稱代詞逐漸統一爲"汝、爾"兩個,其中"爾"逐漸寫成了"你",在用法上有了較大的發展,在文學作品及口語材料中的使用數量日漸增長。元明以後,"你"幾乎成爲白話作品中第二人稱代詞的唯一形式。《型世言》中的第二人稱代詞主要有"你、爾、汝、你們、你家、奴、你儂"等。其中"你"的用例最多,其次是"你們",詳細情況見表 4。下面我們對這些代詞逐一進行分析。

---

34 向熹. 簡明漢語史(下)[M]. 北京:商務印書館,2010:79-82.

表 4　第二人稱代詞的分佈及其所占百分比

詞　項	一、"你"字系列				二、"爾"字系列		三、"汝"字系列			四、其他
	你	你們	你家	你儂	爾	爾等	汝	汝等	汝輩	奴
次　數	1742	59	6	2	22	2	7	2	1	1
百分比	94.47	3.20	0.33	0.11	1.20	0.10	0.38	0.10	0.05	0.05

一、"你"字系列

(一) 你

　　"你"，《廣韻》注："乃裏切，秦人呼傍人之稱。"似乎是唐代新產生的一個詞。其實"'你'也是一個'強式'，是'爾'字古音保存在口語裏。"《通雅》說："爾、汝、而、若，乃一聲之轉，'尔'又爲'爾'，'爾'又作'你'，俗書作'你'。"王力認爲這種語源的解釋是正確的。[35]呂叔湘先生指出，第二人稱代詞"你"就是古代的"爾"，漢晉以來，草書裏久已把"爾"寫作"尔"。"南北朝人寫這個字已經跟現代的情形相似，除必須工整的場所作'爾'外，通常就寫'尔'。至於什麼時候又在左邊加上'亻'旁，那一定是在'爾'的語音跟讀音已經分歧之後，借這個來分別一下。"他又根據唐朝人編纂的《北齊書》、《周書》、《隋書》、《北史》中的寫法推斷："大概'你'的寫法也是南北朝的後期就已經出現，隋唐之際已經相當通行，到了修史的文人或謄寫的鈔胥敢於錄用的程度。"[36]

　　"你"被普遍使用的唐五代時期，正是"爾"趨於消亡的時

---

35 王力. 漢語史稿[M]. 北京：中華書局，2004：316.

36 呂叔湘，江藍生. 近代漢語指代詞[M]. 上海：學林出版社，1985：3-4.

期，"你"經歷了"汝、你"並用的過渡階段，最終在口語中取代"汝"而成爲第二人稱代詞的唯一形式。這個時期大概在北宋晚期。[37]

《型世言》中的"你"共出現 1742 例，占全部第二人稱代詞的 94.47%。主要有以下這些用法：

1.作主語。

（1）單獨作主語，如：

①孫都道："你知道些甚麼？"（第 1 回）

②你雖媳婦，就是女兒一般，要早晚孝順他，不要違拗。（第 3 回）

③你若果爲母出妻，可謂孝子。（第 26 回）

④那代巡越喜……問他道："你是無錫那裏人？"（第 30 回）

（2）"我"與其他成分一起作主語，一般不用結構助詞"的"來連接，中心語有雙音節詞，多音節詞不等。

⑤姐姐你莫聽姐夫騙，他們未討小一樣臉，討了小又一樣臉……第 16 回）

⑥你老人家年紀高大？（第 1 回）

⑦我是書館之中，你一個女流走將來，又是暮夜，教人也說不清，快去！（第 11 回）

⑧我正要對官裏道你忠勤，與你還鄉，或與你一大寺住持，

---

37 蔣冀騁，吳福祥. 近代漢語綱要[M]. 長沙：湖南教育出版社，1997：380. 原文爲"大致可以推測，'你'在口語中取代'汝'而作爲第二人稱代詞的唯一形式，可能是北宋晚葉。在《王俊蔣岳侯狀》裏，'你'出現 17 次，而不見'汝'、'爾'等第二人稱代詞。"

怎就飄然而去？（第 8 回）

⑨然雖如此，你我合來不過百餘個人，怕不濟事。（第 22回）

2.作賓語。

（1）"你"單獨作賓語，如：

⑩（我）打聽令祖父母、令兄令姊消息來覆你……（第 1 回）

⑪任敬攀了你，你快走。（第 22 回）

（2）"你"與其他詞語聯合成短語作賓語，如：

⑫這房子須不是你一個的，仔麼把來弄坍了？（第 2 回）

⑬只是聞得你兩家要興訟，故來一說。（第 2 回）

（3）"你"做雙賓語的間接賓語，如：

⑭沈剛道："進門還你一個財主。"（第 15 回）

⑮你這奴才，若論起做媒沒人，交銀無證，坐你一個誆騙人家子女，也無辭。（第 26 回）

（4）充當"動詞+賓語+補語"結構的賓語，如：

⑯我意原盜了你出來，次後便到京看你父親……（第 1 回）

⑰你看這一表人才，也配得你過，不要做腔，做了幾遍腔，人就老了。（第 1 回）

⑱我也空養了你一場。（第 27 回）

此外，文中還有"打你不得""止生得你一個"等結構，爲節省篇幅，故不再引用整句來討論。

（5）充當"動詞+補語+賓語"結構的賓語，如：

⑲他到官，終須當不得你。（第 3 回）

⑳可笑殺了你，這玉簪不是他的麼？（第 32 回）

（6）作介詞賓語，如：

㉑我巴不得爲你多要些，也是相處分上。（第 32 回）

㉒我去與你做，做不來隻看得。（第 32 回）

㉓只是這本錢沒了，將甚麼賠令正？況且把你一個風月人幹繁殺了。（第 37 回）

3.作定語，一般不帶“的”，如：

㉔你父親被拿至京，必然不免，還恐延及公子。（第 1 回）

㉕你二爺在廣時，曾嚹一個楊鸞兒，與他極過得好，要跟二爺來。（第 26 回）

㉖鮑雷道：“賊精，遲了飯，關你事？一定有甚，要對我說。”（第 33 回）

在上述的 3 個例子中，“你”作爲人稱代詞修飾其他詞語，中間往往不帶“的”，這種現象在現代漢語中仍然存在。

4.作兼語。如：

㉗婦人叫杜香拿茶來，道：“一定要你說個明白。”（第 26 回）

㉘婦人道：“如何等得他回？一定要累你替我去尋他。”（第 26 回）

㉙裘龍道：“我叫你不要慌，叫你兩個死在我手裏罷了。”（第 23 回）

“你”的這種兼語的用法雖然不多，但是它在多個動詞後出現，也顯示了其較強的活動能力。

另外，《型世言》中的“你”，還有以下三個功能：

1.一般來說，“你”表單數，但有時“你”也可表複數。如：

㉚讓他們不是讓別人，不然貧不與富鬥，命又不償得，你母子還被他拖死了。（第 2 回）

㉛你兩邊都不大認得。（第 9 回）

㉜恩愛夫妻，我仔麼來拆散你的？（第 26 回）

例㉚中，"你母子"，現在說來，一般用"你們母子"。而例㉛是王喜在家守了十五六年活寡的妻子對即將外出尋找父親的兒子王原說的話，"你兩邊"實際上是"你和你父親（兩個人互相都不認識）"，表達的是複數概念。在例㉜中，前文有"恩愛夫妻"，如果在現代漢語的語境下，後面則一般用"你們"，但在例㉜中用"你"，這也是用單數的形式來表示複數的意義。《型世言》第 34 回和第 35 回中還有"你這些禿驢"、"你這些師弟師侄"等句法結構，可見，"你"用來表達複數概念並非個案。

2.《型世言》中的"你"還可表虛指。如：

㉝憑你大熟之年，米五錢一石，只是吃些清湯，不見米的稀粥。（第 26 回）

㉞獨這個雷，那裏管你富戶，那裏管你勢家。（第 33 回）

3."你"與第一人稱代詞"我"對舉，表示泛指，"你、我"指稱一個群體裏的任一個體，剛開始也許僅指兩人，如例㉟—例㊱，但更多時候是概括了所有人，如例㊲—例㊳：

㉟兩個你貪我愛，整整頑勾兩個時辰。（第 5 回）

㊱呂達是久不見女人的男子，良雨是做過男子的婦人，兩下你貪我愛……（第 37 回）

㊲你長我短，說了半日。（第 10 回）

㊳忽一日賭興正高，卻是你又缺管，我又無銀，賭來都不暢意。（第 22 回）

㊴六個人吃得一個你醉我飽，分手都各幹自己的事。（第 22 回）

從上述 5 個例子，我們可以清晰地看到明末口語中 "你"
"我" 對舉時由實指走向泛指的演化軌跡。

結論： "你" 的確是個俗詞，使用廣泛，用例最多

由上述分析可知， "你" 的確是個俗詞。在作主語的代詞中，
"你" 是用法最多的一個，所以放在第一位。上述用例中，如例
①─例⑤使用者分別爲：秀才、村夫、村姑、市民、代巡等等，
三教九流，都在使用，從唐五代至明末，歷經約 10 個世紀，可以
說該詞已經非常地大眾化了。

（二）你們

作爲 "你" 的複數形式的 "你們"，本書中共出現 59 次，占
全部第二人稱代詞的 3.20%。其形式有 "你門"、 "你每"、 "你
瞞" 等。而作代詞的 "你每" 一詞在本書中已經找不到了。呂叔
湘先生指出， "在宋元明之間，同一個詞曾經有過們〈每〉們的
反復變化"[38]，其原因與本文關係不大，這裏也就不作深究。 "你
們" 一詞是從什麼時候開始出現的呢？從盧烈紅的《〈古尊宿語
要〉代詞助詞研究》中看來，這一詞還沒有出現在該文獻中。但
是在南宋周密的《齊東野語》、李璧的《中興戰功錄》、文天祥
的《文山集》中，就有 "不因你瞞番人在此，如何我瞞四千里路
來？" "你門只有一個日頭活哩。" "你門年四十，頭戴笠……"
等含有 "你瞞、你門" 的句子[39]。這說明在南宋就已經有 "你們"
一詞了。只不過寫法還沒有定型罷了。

---

38 呂叔湘，江藍生. 近代漢語指代詞[M]. 上海：學林出版社，1985：58.
39 呂叔湘，江藍生. 近代漢語指代詞[M]. 上海：學林出版社，1985：56-57.

《型世言》中，“你們”主要有以下一些用法：

1.“你們”作主語：

（1）單獨作主語，這在文中最爲常見，如：

①你們好睡，我走了一夜，你知道麼？（第 1 回）

②今我年老，欲歸京師，你們可送我至京。（第 8 回）

③這人道：“你們不要偷懶才是。”（第 17 回）

④你們不該做這事。叫我怎好？（第 21 回）

⑤你們都得命了，快些向北謝恩。（第 22 回）

（2）“你們”與其他成分構成同位短語作主語：

⑥如今我們商議，你們母子去告，先得一個坐視不救的罪名了。（第 2 回）

⑦況且你們富家，容易行善。（第 28 回）

⑧水心月道：“瘦殺牯牛百廿觔。你們這樣人家，莫說衣飾，便書畫古玩可也有百兩銀子。”（第 32 回）

例⑥—例⑧中，“你們”與後面的名詞結合在一起作主語，這在全書並不多見。

2.“你們”作賓語或介詞賓語。

（1）直接充當一般賓語：

⑨與你們不是與別人，你們母子出頭露面去告一場，也不知官何如，不若做個人情。（第 2 回）

⑩寧可我做生活供養你們，要死三個死，嫁是不嫁的。（第 33 回）

⑪你們隨我來，銀子都歸你們，我只出這口氣。（第 33 回）

（2）直接作介詞賓語：

⑫趕來朝著沈氏道：“說不來，憑你們。再三替你們說，他

道便田產也定要足到五百。"（第 28 回）

⑬事到其間，一發停當了婆子，拿銀子與你們。（第 31 回）

⑭這我經手，寶尚書家賣與你們的，討一百二十兩，後邊想三十兩買的。（第 32 回）

（3）作雙賓語的間接賓語，全書僅此 1 例，如：

⑮你怎不顧你們趁錢折本反與我慪氣？（第 3 回）

（4）作"動詞+補語+賓語"結構的賓語，全書僅 1 例，如：

⑯我直要騙他到廳上，叫他躲不及你們方好。"（第 26 回）

由例⑨－例⑯分析可知，"你們"與其他詞組成短語，來作句子賓語的情況尚無用例。

3."你們"作定語。

⑰不要你們的轎子迎接，我自送他到船。（第 3 回）

⑱是我姐姐慧哥，他曉得一口你們蘇州鄉譚，琴棋詩寫，無件不通。（第 11 回）

⑲王尼道："正是，我說他爲甚麼就回，他倒說這些閒話，說要借一千兩銀子，保全你們全家性命。"（第 28 回）

⑳秋濤道："不消羞得，也不關我們事，也不關你們事，自有個人。"（第 40 回）

㉑公子還吃得你們這裏的泉水好，要兩瓶。（第 29 回）

"你們"作定語，也少用結構助詞"的"，上述數例中，只有例⑰中是用"的"的。其實，例⑱－例⑳，領屬性定語"你們"與它所修飾的名詞中間都可以加入一個結構助詞"的"。但在明代末期，此用法並不通行。

4."你們"作兼語：

㉒陳副使道："這是先生串你們來的麼？"（第 27 回）

㉓沒廉恥!上門湊!青頭白臉好後生,揑在人家,不如我到娘家去,讓你們一窠一塊。"(第30回)

㉔如今玉帶在你這裏,要你們還人,還要這些贓物。"(第32回)

和現代漢語相同,"你們"在明末的《型世言》中也可以放在表示祈使、命令的動詞後面作兼語。例㉒中的"串"在文中相當於"勸"的含義和功用。

特別值得一提的是,《型世言》中的"你們"有時也可表單數。如:

㉕初時要我做生意狠些,也是你們。如今教我將就些,也是你們。(第3回)

這時說話人面對的,不是周於倫母子兩人,而是婆婆一個人,故"你們"在這裏表示的是單數含義。呂叔湘先生在解釋這種現象的時候說,"由於種種心理作用,我們常有在單數意義的場所用複數的情形。""在過去的中國社會,家族的重要過於個人,因此凡跟家族有關的事物,都不說'我的'、'你的'而說'我們的'、'你們的'('的'字通常省去),如'我們捨下','你們府上'。"[40]《型世言》中的例子也有力地證明了這個論斷,雖然例子不是很多。

(三) 你家

根據呂叔湘先生的意見,這裏的"家"是代詞的語尾,有作領格用的,也有不作領格用的[41]。

---

40 呂叔湘,江藍生.近代漢語指代詞[M]. 上海:學林出版社,1985:72.
41 呂叔湘,江藍生.近代漢語指代詞[M]. 上海:學林出版社,1985:87-88.

在《型世言》中，作爲代詞的"你家"共有 6 例，占全部第二人稱代詞的 0.33%。

1.作主語。如：

①徐銘道："你家也做書手，只聽得你爹打板子，不聽得你爹撰銀子。"？（第 21 回）

②縣尊道："這等小廝也是枉殺了。你說和尙，你家曾與那寺和尙往來？叫甚名字？"（第 29 回）

例①中的"你家"指的是愛姑的父親，徐銘的舅舅，所以是單數，相當於"你父親"。例②中的"你家"也是單數，作主語。

2.作定語，相當於"你的"。如：

③高秀才道："不是這樣說，如今你去同死，也不見你的孝處，何如苟全性命，不絕你家宗嗣，也時常把一碗羹飯祭祖宗、父母，使鐵氏有後，豈不是好？"（第 1 回）

④只見這鄰里道："你家妻子，你不知道，卻向誰叫？"（第 5 回）

⑤皮匠便跳起道："放屁！你家老媽官與人戲，那三五兩便歇？"（第 27 回）

例③中表示的是"你們家"的意思，但這話是高秀才對鐵仲名一個人講的，誠如前文呂叔湘先生所說，由於種種原因，漢語表達的心理習慣往往使人們喜歡用複數的概念來表達單數的意義。這一點從例④—例⑤中就看得更加明顯，"你家妻子"不是"你們家的妻子"，而是"你的妻子"，"你家老媽"不是"你

呂叔湘先生給了兩個例子：
1.汝家邪（爺）死。（《景德傳燈錄》第 16 卷 16 頁）
2.便作你家年紀老。（《元曲選》第 87 種第 3 折第 3 曲）

們家的老媽（老婆）" 而是 "你老媽（老婆）"，這兩例都是單數。

3.作賓語，如：

⑥次日即把 "門開" 二句寫了做春聯，粘在柱上。只見來的親友見了都笑： "有這等文理不通秀才，替你家有甚相干，寫在這邊。"（第 19 回）

"替你家有甚相干" 相當於 "跟你家有甚相干"， "你家" 在這裏作介詞賓語。

（四）你儂

前面我們談到了第一人稱代詞 "我儂"，《型世言》中還有比較罕見的第二人稱代詞 "你儂" 一詞，全書總共只有 2 例，占全部第二人稱代詞的 0.11%。全部作主語。如：

①渠儂公子，你儂打渠，畢竟吃虧。（第 27 回）

②婦人道： "我叫你不要做這事，如今咱伊？還是你儂同我，將這多呵物件到陳衙出首便罷。"（第 27 回）

全書共有 8 例 "儂"，但大都與 "你、我、渠" 連用，這裏的兩個 "你儂"，相當於第二人稱代詞 "你"，作主語。這向我們傳達了這樣一個資訊： "儂" 作爲方言詞語在明代中葉的浙江話中已經不多見了，似乎已經處在趨於消失的狀態中。現在吳方言太湖片的一些區域中還在使用，如現在的上海話中還在用 "儂" 作第二人稱代詞。

二、"爾"字系列

（一）爾

先秦時就有的第二人稱代詞"爾"，在《型世言》中也有用例。《詩經·衛風·氓》中就有"以爾車來，以我賄遷"的詩句。全書中作第二人稱代詞的"爾"有24例，占全部第二人稱代詞的1.30%。其中口語中出現15次，單單第7回中的一篇用文言撰寫的祭文中就出現5次。其主要用法如下：

1.作主語：

①命葬于曹娥祠右，爲文以祭之，曰：嗟乎翠翹，爾固天壤一奇女子也。（第7回）

②聊薦爾觴，以將予忱，爾其享之。（第7回）

③胡公誅降，複致予死，上帝已奪其祿，命斃於獄。爾其識之！（第7回）

④以此疑，始之詬詈，繼以捶楚，曰："爾故態復萌耶？"（第11回）

⑤爾要降，速降可保你命。（第17回）

例①—例②皆爲祭文中的用詞，在書面語中顯得比較典雅。例③—例⑤中雖然都是文官或武將的口頭的言辭，但措辭都比較正式。

2.作賓語：

⑥歌竟大呼曰："明山！明山！我負爾！我負爾！失爾得此，何以生爲！"（第7回）

⑦趙昱誅蛟于嘉陵，周處殺蛟於橋下，其難脯爾乎？（第39

回）

例⑥中的話語出於名妓王翠翹之口，語氣非常地悲壯，"爾"用在這裏顯然是很貼切的，也符合當時話語的氛圍（當時同舟的都是地方長官、江南名士）。例⑦中的話語出自尙書之口，表斥責之聲。這種用法和下面"爾"作定語的例子的情形相似，用例都比較少。

3.作定語：

⑧爾之聲譽，即決海不能寫其芳也。（第 7 回）

⑨顧予之功，維爾之功。爾之死，實予之死。（第 7 回）

⑩吾且正爾湖州荼毒之罪，當行天誅，以靖地方，以培此女。（第 39 回）

"爾"在例⑧—例⑩中的用法，最常見於南北朝時的文獻中，如《北齊書》中有"誰是爾叔，敢喚我作叔！"之語[42]。

（二）爾等

《型世言》中的"爾"均表單數，表複數時一般要在"爾"後加一"等"字。共有 2 例。如：

⑪往日激變兵心，固失於調停，不盡是爾等之罪。（第 22 回）

⑫今日民亂，爾等若能爲我討捕，便以功贖罪。（第 22 回）

三、"汝"字系列

（一）汝

"汝"也是早在先秦時期就出現的一個第二人稱代詞。《尙

---

42 呂叔湘，江藍生.近代漢語指代詞[M]. 上海：學林出版社，1985：3-4.

書·舜典》中就有"汝陟帝位"之語。到了唐代，這個詞在一般的書面語中仍然比較常見。如"今日臨歧別，何年待汝歸"（柳宗元《三贈劉員外》[43]）。這個詞在吳方言的部分地區仍然使用，不過一般是用作第二人稱的複數或表集體概念。[44]《型世言》中的"汝"共有 10 例，占全部第二人稱代詞的 0.54%。

　　1.作主語，共 3 例，如：

　　①妙珍，汝孝心格天，但林氏沉痾非藥可愈。（第 4 回）

　　②汝果誠心救彼，可于左脅下剜肝飲之。（第 4 回）

　　③河間有一妖猿為祟，汝往擒之。（第 40 回）

　　2.作賓語，共 4 例，如：

　　④胡總制道："既歸降，當貸汝死。還與汝一官，率部曲在海上，為國家戮力，勿有二心。"（第 6 回）

　　⑤當日我在便殿，正吃子鵝，撒一片在地上賜汝，那時你兩手都拿著物件，伏在地下把舌餂來吃了，你記得麼？（第 8 回）

　　⑥天理人事，無往不復，豈有一人無辜受害，肯飲忍九原，令汝安享？（第 35 回）

（二）汝等　汝輩

　　《型世言》中的"汝"均表單數，表複數時，要在"汝"後加上"輩、等"等字。"汝等"有 2 例。"汝輩"有 1 例。如：

　　⑦恰是建文君斜倚宮中柱上，長籲浩歎道："事由汝輩作，今日俱棄我去，叫我如何？"（第 8 回）

43．王力，岑麒祥等.古漢語常用字字典[M]. 北京：商務印書館，2005：328.

44．如常州金壇方言中，就有"汝"的使用，"汝個頭好伐？" —— 你們這裏好不好？

⑧那妖僧道："天數我當爲中原天子，汝等是輔弼大臣，汝等當同心合意，共用富貴。"（第8回）

《型世言》中"你"的使用頻率遙遙領先，"爾"次之，"汝"的使用頻率最小。我們查閱了一些學者的研究成果[45]，可以更清楚地看出這三個詞發展演變的軌跡。詳見表5。

表5 唐宋至明末，"你"、"爾"、"汝"的發展軌跡

次數 文獻 \ 詞項	你	爾	汝
王梵志詩	72		3
六祖壇經（初唐）	1		86
神會著作（盛唐）		1	24
寒山詩（盛唐）	16	1	31
拾得詩（盛唐）	2	1	3
敦煌變文集（唐·五代）	187	40	246
祖堂集（五代）	346	2	746
古尊宿語要（南宋）	798	3	175
五燈會元（南宋）	769	16	2129
金瓶梅詞話	6613		17
型世言	1744	24	10

由上面的具體數字，我們可以得到以下結論：

1.在"你"出現以後，"爾"和"汝"在文獻中仍然出現，並保持了很長一段時間，儘管"你"越來越多地出現在了大量的口語中。

---

45 盧烈紅.《古尊宿語要》代詞助詞研究[M]. 武漢：武漢大學出版社，1998：31.

2.在唐代,當"你"一詞比較盛行之後,"汝"居然還保持了旺盛的生命力 —— 至少在初唐和盛唐時還是比較流行的,中唐後才慢慢衰落。但事物的發展是曲折的,在五代的《祖堂集》中,"汝"比"你"出現的次數要多出一倍多!太田辰夫先生分析說:"'汝'也用得很多,恐怕口語裏也使用。"而《〈古尊宿語要〉代詞助詞研究》的作者盧烈紅則通過對數十位禪師的比較分析,進一步指出了方言對其中兩位的禪師影響。同時代的禪師多用"你"作第二人稱代詞,而久居浙江衢州和福建福州的子湖和尚、鼓山和尚則多使用"汝"[46]。據現代學者的研究,今天閩東方言中的福州話,第二人稱仍然用"汝"[47]。由此我們可以認爲,"汝"在某些文獻中的大量使用,與說話人的方言有一定的聯繫。但是這仍然沒有阻礙"你"在書面語與口語中漸進式地對"汝"的全面替代。

四、其 他

(一)奴

"奴"作爲第二人稱代詞,在《型世言》中僅見一例[48],占全部第二人稱代詞的 0.05%。

①次早督府酒醒,殊悔昨之輕率。因閱彭宣慰詩,曰:"奴亦熱中乎?吾何惜一姬,不收其死力?"(第 7 回)

---

46 盧烈紅.《古尊宿語要》代詞助詞研究[M]. 武漢:武漢大學出版社,1998:32-33.
47 李如龍. 從閩語的"汝"和"你"說開去[J]. 方言,2004(1):1-6.
48 《型世言》中"奴"作第一人稱代詞的用例僅 1 個:不若將奴賣與人家……(第 7 回)。

這裏的"奴"即"你"，指彭宣慰。

本節小結：《型世言》中，"你"是最主要的第二人稱代詞，且雙音節化明顯

從上面的分析可以看出，《型世言》與《金瓶梅詞話》的諸多不同，一是"你每"在《金瓶梅詞話》中有 148 例，而《型世言》中則一個也沒有；二是"你家"、"你儂"這些詞在北方方言色彩較濃的《金瓶梅詞話》中未見一例[49]。在時代稍前一些的《警世通言》及一個世紀後的《紅樓夢》中，"你家"都可以看到其作為第二人稱代詞的用法，這表明，"你家"、"你儂"為南方方言的可能性較大。

從上文中可以看出，文言詞逐漸地脫離口語而被時代拋棄，取而代之的，是在百姓口頭流傳的俗詞，有的俗詞很幸運地擠進了通行的官話行列，如"你"；而有的詞語則沒有能進入，只是存留於某些方言中，日漸被冷落，如"你儂"、"奴"等詞語。

第三節　第三人稱代詞

《型世言》中的第三人稱代詞主要有"他、他家、他們、渠、渠儂、伊"等。其中"他"的用例最多，其次是"他們"，詳細情況見表 6。下面我們對這些代詞逐一進行分析。

---

49 曹煒.《金瓶梅詞話》中的人稱代詞系統[J]. 蘇州科技學院學報，2009（3）：24-35.

表 6　第三人稱代詞分佈及其所占百分比

詞　　項	一、"他"字系列			二、"其、渠"系列			三、其他		
	他	他們	他家	其	渠	渠儂	之	彼	伊
次　　數	4645	24	12	155	20	3	139	8	6
百分比	92.68	0.48	0.23	3.09	0.45		2.77	0.15	0.11

一、"他"字系列

（一）他

　　"他"在《現代漢語詞典》裏有四個義項：1.稱自己和對方以外的某個人。2.虛指（用在動詞和數量詞之間）：睡他一覺。3.指別一方面或其他方面：早已他去，留作他用。4.另外的，其他的：他人，他鄉，他日。[50]

　　對"他"字的來源，呂叔湘先生作了很詳細的考證。呂先生認爲：古代漢語裏沒有一個完備的第三人稱代詞，之、其、彼，這三個字本來都是指示詞，作爲第三人稱代詞，"它們的用法都有重要的限制"。因而自漢魏以後，從另一個來源發展起來的一個"他"字，就成爲近代漢語裏的第三人稱代詞。它的用法跟"你"、"我"平行。這樣，以"你"、"我"、"他"三個詞爲代表，構成了第一人稱、第二人稱、第三人稱代詞比較成體系的局面。

　　"他"字在上古漢語裏只作"其他"講，然而何時向第三人稱代詞"他"轉化的呢？呂叔湘先生認爲，自東漢開始，就有轉化的跡象了。如《後漢書‧八十四卷〈樂羊子妻〉》：嘗有他舍

---

50 中國社會科學院語言研究所詞典編輯室. 現代漢語詞典[M]. 北京：商務
　印書館，2005：1313.

雞謬入園中，姑盜而食之，妻對雞不餐而泣。姑怪問其故，妻曰："自傷居貧，使食有它肉。"經過魏、晉、南北朝、隋朝的發展，到了唐代，這種真正的第三人稱代詞就很常見了[51]。王力先生也認為，"'他'字起源于唐代"[52]，人稱代詞的"他"正是從"他人"的"他"轉化過來的，在上古是"別的"的意思。其本字為"它"或"佗[53]"，但是由於俗字"他"的流行，人們就忘記了它原來的字形。所在現在單單從字形上 ── "亻+也"看不出"他"字的"前世今生"。

由於第三人稱代詞一般都具有回指性，所以作為第三人稱代詞"他"在第一次出現時，必定要在前面先提一下，某人或某事某物。所以，呂先生也稱"他"字為回指性的代詞。《型世言》中作為第三人稱代詞的"他"共出現 4645 次，主要用作主語、賓語、定語和兼語。

1. "他"用作主語。

（1）單獨用作主語，如：

①此時他已將家眷打發回家，止剩得一個公子、一個老僕在衙內。（第 1 回）

②不期到三年間，固原鎮有個土韃滿四，他原是個韃種。（第 17 回）

③張三道："遲了些，他因會錢要緊，當了五兩，票子在我身邊。"（第 36 回）

例①中的"他"作主語，表稱代，這是近代漢語中比較常見

---

51 呂叔湘，江藍生.近代漢語指代詞[M]. 上海：學林出版社，1985：5-8.
52 王力.漢語史稿[M]. 北京：中華書局，1980：270-271.
53 吳語區的宜興、溧陽、金壇等地，至今仍讀/ t'o/。

的。而例②在文中提起"滿四"時,用"他"字似有輕蔑的意味。一般表強調的話,會用"這人"來替代"他"。而例③中的張三在提起他的親戚時,不是用敬辭,也不是稱親戚之名,隨便用個"他"敷衍了事,也從某種程度上暗示出其物的來路不正。

（2）與其他成分構成同位短語、的字短語等作主語。如:

④看他兩個執性,是打罵不動的,若還一逼,或是死了。（第1回）

⑤還又爭道:"我說的好,他說的不好。"（第16回）

⑥丫頭他也不便,好歹再與他二十兩罷。（第28回）

2.《型世言》中的"他"也常作賓語,如:

（1）充當一般賓語:

⑦見文人苦寒、豪俊落魄的,就周給他。（第7回）

⑧不特人愛他,物亦愛他。（第39回）

⑨伐來照他,現身是一老狐,身死。（第40回）

（2）作介詞賓語,如:

⑩貧不與富鬥,命又不償得,你母子還被他拖死了。（第2回）

⑪（項員外）蒺藜刺滿腳底,也著不得靴。行了禮,送在客館,著人為他挑去。（第17回）

⑫那廝滿四道:"不要把他近山,先與他一個手段。"（第17回）

（3）作雙賓語的間接賓語,如:

⑬次早王夫人擷掇,賞他二十兩銀子,還他鞍馬軍伴……（第7回）

⑭英國公聞得他規矩整飾,特請旨帶侯伯們到國子監聽講。

（第 12 回）

⑮胡似莊打合，與他一個三分包兒。（第 31 回）

（4）作 "動詞+賓語+補語" 結構的賓語，如：

⑯哥，人命還是假的，冒糧詐錢是真，到官須不輸他婦人？"
（第 9 回）

⑰你看他何等手段！（第 22 回）

⑱鮑雷道："不難，打點四兩銀子，包你打他個爛泥椿。"
（第 33 回）

例⑯中，"婦人" 是用來補充說明 "他" 的，後半句的意思是：到了官府（打官司），你還不是輸他女人家？

3.作定語。定語與中心語之間可以直接相連，借用結構助詞 "的" 的情況很少。

（1）單獨用作定語。如：

⑲孫都堂走到他房裏道："你們好睡，我走了一夜，你知道麼？"（第 1 回）

⑳這片話，他母親女流，先是矬了。（第 2 回）

㉑他妻子委是不賢，常與他母親爭競。（第 26 回）

（2）與其他詞語聯合作定語。如：

㉒他兩個女兒，瑩瑩水裡荷花。（第 1 回）

㉓你看他那布匹衣服，那件沒有水漬痕？（第 25 回）

4.作兼語，用例最少。兼語前的動詞有 "叫、使、求、托、嫌、勸、恐、累、有、命、盼" 等使令動詞。如：

㉔（王世名）找了銀子。叫他上邊鑿 "報仇" 二字。（第 2 回）

㉕他來招你，也是一個機括。他疑你，你也疑他。使他不防

備你，便可趁勢入海，得以自由。（第7回）

㉖我朝有一大老先生，因權奸托他覓一古畫……（第32回）

《型世言》中的"他"作爲第三人稱代詞的語法特點：

1.與第一、第二人稱代詞有尊卑不同，"他"在實際使用過程中並沒有尊卑長幼之別。如：

①（成祖怒極道："不破此城，不擒此賊，誓不回軍！"北將又置攻車，自遠推來城上，所到磚石坍落。）鐵參政預張布幔當他，車遇布就住，不得破城。（第1回）

②（成祖大惱，分付將士負土填了城河，架雲梯攻城。）誰知鐵參政知道，預備撐竿，雲梯將近城時，撐竿在城垛內撐出，使他不得近城。（第1回）

③（尚書嚴震直）暗想道："今日我遇了建文君，不禮請他回去，朝廷必竟嗔我。倘同他回去，朝廷或行害了，恰是我殺害他了，如何是好？"（第8回）

從語義指向上看，例①中的"他"是指"北軍"呢還是指"成祖"呢？從上下文看來，應該還是指"成祖"。但這裏的回指和呼應就與別的句子有所不同了，因爲"他"與所指向的主語中間隔了一個主語。而例②中就很明顯是指成祖。在例③中，尚書嚴震直"暗想道"中的"他"即爲落難的建文皇帝。

2.《型世言》中的"他"也可表虛指，不過這種情況在書中比較少見[54]。如：

---

54 另外，值得一提的是：像這些"他"字的衍生詞"他人"已經在《型世言》中出現了，如：

大哥長他人志氣！便這些官兵，只好囓飯，韃子來驚得不敢做聲，待他去了十來裏放上一個炮，去趕一趕兒，有甚武藝。（第17回）

④（高秀才）扮做個逃難窮民，先到淮安地方，在驛中得他幾個錢，與他做夫。（第 1 回）

⑤不若乘他兵馬新來，營寨未定，沖他一陣，殺他一個膽寒。（第 17 回）

3.“他”一般表單數概念，但有時也可以表複數概念：

（1）在《型世言》中，“他”首先還是以第三人稱的面目出現的。主要是用於單數，如：

⑥滿四忙問時，道：“适才到項總督營邊探聽，見他兵心都已懈怠……（第 17 回）

例⑥中的“他”從上下文看來，指的是項總督，表單數。但在《型世言》中，“他”還可以表複數，主要有以下幾種情形：

（2）“他”同其前面的表複數的名詞性成分構成回指關係，表複數概念。如：

⑦偏生躲在山裏時，這些臊子與韃婆、小韃，騎了馬山下跑來跑去，又怕他跑進山來，好不又驚又怕。（第 17 回）

⑧滿璐只得帶了二十多個家丁去拿。……滿四道：“憑著咱膽氣，料沒得與他拿去……”（第 17 回）

⑨（參將劉清知道，便領兵趕來……）正行時，那廂滿四道：“不要把他近山，先與他一個手段。”（第 17 回）

⑩只是豪氣未除，凡是文會上、酒席上，遇著這幹公子富家郎，他恃著才勝他，不把他在意。（第 18 回）

例⑦中的“他”，實際上指前面的“臊子與韃婆、小韃”，應該是複數概念。例⑧中的“他”是指前面的“滿璐”及其二十多個家丁，也是複數概念。例⑨中的兩個“他”指前文提到的官兵，也是複數。例⑩中的第二及第三個“他”都是指“這幹公子富家郎"，應該是複數概念。

（3）"他"後面緊跟表複數的名詞性成分，形成"他兩、他這些、他三人（個）、他眾人"等形式，表複數概念。如：

⑪只見他兩姊妹一到房中，小小姐見了道："姐姐，這豈是我你安身之地。"（第1回）

⑫他三人不肯，道："豪貴人家，女多嬌癡，不能甘淡薄，失教訓。"（第16回）

⑬便就在管的馬中，相上了兩疋壯健的在眼裏，乘著夜間放青，悄悄到皮帳邊，聽他這些韃子鼾聲如雷，他便偷了鞍轡，趕來拴上，慌忙跳將起去。（第17回）

⑭知府問他兩人家住那裏，一個是龍泉，一個是宜平，都是外縣。（第36回）

⑮他三個三面殺將來，這一個左支右吾，遮擋不住，如何取勝？（第39回）

（4）"他"與一些集合名詞連用，表複數概念。如：

⑯滿四道："憑著咱膽氣，料沒得與他拿去，只他官兵來奈何？"（第17回）

⑰先行搜山，又拿得賊五百多名，破城捉獲他家屬數千。（第17回）

⑱他母子經營殯葬，葬時止不過幾個鄉紳公祭……（第19回）

（5）"他"在表回指時，有時語義指向不太明確。試列舉如下：

⑲故畢竟要父子相信，像許副使達，他在山東樂陵做知縣時，流賊劉六、劉七作反，南北直隸、山東、河南、湖廣府州縣官，

或死或逃，只有他出兵破賊，超升僉事，後轉江西副使。（第 1 回）

⑳世建這個小兒，關係蕭家這一脈斷續，若丟了他，或至他不能存活，或至他流於下賤，是蕭家這脈無望了。（第 16 回）

㉑只是當時韃兵撩亂，早以把項員外抓了去，囚首垢面，發他在沙磧裏看馬。（第 17 回）

例⑲－例㉑，在用"他"之前，前文分別提到了其所指代的人物，分別是：許副使逵、世建、項員外，前後相照應。在這 3 個例子中，"他"的語義指向是明確的。需要說明的是，"他"在表回指的時候，其語義指向並不都是這樣明確，如：

㉒他父親道："這畢竟是我兒子！"就開喪受吊，人還不肯信他。不期過了幾時，凶報到來，果然是他死節。（第 1 回）

例㉒中，第一個"他"指的是"副使許逵"，第二個"他"指"副使許逵的父親"，第三個又是指"副使許逵"。如果不結合上下文來看，極易造成歧義。而在現代漢語中，爲避免歧義，一段文字中前後的"他"都應該是指同一個人。例㉒並非個案，這表明：在近代漢語的演化過程中，也許是剛開始比較普遍地使用"他"字，當時人們還沒有認識到如何來規範該詞的使用。這也許算是"他"在當時的一個語法特點吧。

（二）他們

"他們"一詞在宋代就出現了。只不過寫法不一，如"他門"、"他懣"[55]，明代初年的文獻中多作"他每"，《金瓶梅

---

55 呂叔湘，江藍生.近代漢語指代詞[M]. 上海：學林出版社，1985：55-56.

詞話》中也有"他每" 46 例[56]。涵芬樓《道山清話》有"他門取了富貴，做了好官。"沈端節的《克齋詞》中有"失笑他瞞恁撩亂"的句子。"他每"在元代用得比較多，在明代一些受北方方言影響的文獻中也還能看到，但在本書中已經找不到了。"他們"在全書中有 24 處。全文看來，作賓語的要比作主語的例子多一些。因爲例子較少，故把絕大多數例子羅列出來，以便研究。

1.作主語，共有 5 例，全部單獨作主語，如：

①他們只要保全我的性命，苦要殘我父親的骸骨。（第 2 回）

②他們不發洩得，畢竟在肚中，若還成病，又要贖藥，你道該讓不該讓？（第 13 回）

③姐姐你莫聽姐夫騙，他們未討小一樣臉，討了小又一樣臉，後來悔得遲了。（第 16 回）

④他們不過借你來污蔑我，關你甚事？（第 30 回）

⑤我進士官，縱使他們謗我，不過一個降調，經得幾個跌磕，不妨。（第 30 回）

2.作賓語，共 9 例，這是"他們"最常見的用法。如：

⑥讓他們不是讓別人，不然貧不與富鬥，命又不償得，你母子還被他拖死了。（第 2 回）

⑦後邊王俊捐出百金，謝他們一干。（第 2 回）

⑧如今是他們夫妻世界，做甚惡人！（第 3 回）

⑨你從不曾吃這苦，蚤知這樣，便依了他們罷。（第 6 回）

⑩若依著他們，畢竟要報我，恰是放債要還模樣，豈是個君臣道理？（第 8 回）

---

56 曹煒.《金瓶梅詞話》虛詞計量研究[M]. 廣州：暨南大學出版社，2011：27.

⑪沈剛也便跪下，賭誓道："我再與他們來往嫖賭，不逢好死。"（第 16 回）

⑫那時赦他們威令不行，若定要剿他，他固守山險，一時不克。（第 24 回）

⑬詹博古也就知他們局賭他了。（第 32 回）

⑭不知他阮勝戶絕，這間屋子只當是他們的了。（第 33 回）

3.作兼語，共 4 例。

⑮他後邊也只是粗茶淡飯，也不著人伏侍，要他們自去搬送。（第 1 回）

⑯那李公子終不望他們提攜。（第 18 回）

⑰這一個大縣，拿不出這些銀子來？叫他們胡亂再湊些。（第 22 回）

4.作定語，共 5 例。定語與中心語之間可以直接相連，如：

⑱因朝中齊尚書、黃太常慮諸王封國太大，兵權太重，要削他們封國，奪他們兵，廢了周王、齊王，漸次及燕。（第 8 回）

⑲正是，我也吃他的虧。冷了他們的生意，便絕了我衣食飯碗。（第 22 回）

⑳陳望湖道："這也是他們大娘做事拙，實的虛不得。"（第 26 回）

㉑叫聲一個醫不得，卻應了他們言語。（第 38 回）

上述這 4 例中，借用結構助詞"的"的情況很少，全書僅 1 例，如上文的例⑲。

《型世言》中的"他們"作為第三人稱代詞的語法特點：

1."他們"不寫作"他門"

雖然在宋代有作"他門"的寫法，但是在《型世言》中卻難

覓蹤影了，書中有 8 個 "他+門" 的組合，卻一個也不能作代詞
"他們" 解釋。

2. "他們"，作爲 "他" 的複數形式，自然也有回指的功能

同時，如前文論述的 "我們"、"你們" 一樣，"他們" 也
可以用複數的形式表達單數的意義。如上文中的例⑥，"他們"
其實就是指 "王俊" 一個人。

（三）他家

"他家" 一詞能作領屬性定語，也能作主語。作領屬性定語
的用法在南北朝就有了，如 "他家物，從他去。" 從現有的文獻
看，"他家" 作代詞的用法在唐代已經出現了，亞東圖書館的《神
會和尚集》有 "是盲者唱盲，他家見者元來不盲" [57]。《型世言》
中的 "他+家" 的組合出現 88 次，其中只有 12 例爲第三人稱代
詞 [58]，作 "他、他們" 解。

作爲代詞的 "他家"，其主要語法功能是作主語，如：

---

57 《北齊書》50 韓鳳；他家=別人家。見呂叔湘，江藍生. 近代漢語指代
　　詞[M]. 上海：學林出版社，1985：88。
58 《型世言》中，作方位詞的 "他家" 有 33 例；偏正短語 "他家人" 有 3
　　例，方位短語 "他家中" 的有 7 例，另有 "他家主"、"他家眷"、"他
　　家財"、"他家屬"、"他家婆" 等短語各 1 例。如：
　　1.公子道："這卻何難？就這邊有人家，我便在他家傭工，你自可脫身
　　去了。"（第 1 回）
　　2.禦史又道："他妻子平日可與人有奸麼？ 他家還有甚人時常來往
　　麼？"（第 5 回）
　　3.禦史 "咄" 的一聲，道："胡說! 他家有人沒人，幹你甚事，要你去
　　尋!（第 5 回）
　　4.那日躲在他家，見董文極其恩愛，鄧氏恣情淩辱，小人忿他不義，將
　　刀殺死。（第 5 回）

①李權道："仔麼他家吃飯，倒要我家送米去？"（第 4 回）

②他家便留了飯，問是夜去明來，伯溫叫帖木兒暫避，自在房中。（第 14 回）

③你將此束暗地丟在店家屋上，不出三日，店主女子便得奇病，流膿作臭，人不可近。他家厭惡，思要棄他，你可說醫得，只要他與你作妻子。（第 38 回）

例①—例③中的"他家"均作主語。

"你家"、"我家"、"他家"在常州方言中仍在使用，相當於"你、我、他"，可表單數概念，也可表複數概念。

二、"其、渠"系列

（一）其

"其"，《廣韻》："上平聲七之，渠之切。"郭錫良認為，從先秦古籍看，指示代詞"其"已經逐步向第三人稱代詞轉化，但還處於孕育階段，一般只用作定語，不能作主語。漢代以後，"其"繼續向第三人稱代詞轉化，用作主語、賓語的數量越來越多，南北朝時期在口語中可能已經成為真正的第三人稱代詞。[59]盧烈紅也指出，此時的"其"語法功能臻於完備，已算是一個真正的第三人稱代詞。[60]後來隨著"他"的產生及盛行，"其"逐漸淡出人們的視野，至現代漢語，"其"仍保存在吳、粵、客、贛、湘等方言區的某些小片區。

《型世言》中的第三人稱代詞"其"共有 155 個用例，主要

---

59 郭錫良. 古代漢語語法講稿[M]. 北京：語文出版社，2007：80-81.

60 盧烈紅.《古尊宿語要》代詞助詞研究[M]. 武漢：武漢大學出版社，1998：44.

用作定語，其次是主語和賓語。具體分析如下：

1.作主語。全書共有 27 例。

①如其執迷，使令嗣繫念，每年奔走道途，枉費錢財，于心何安？（第 9 回）

②內中生有一顆真珠，其大如拳，光芒四射。（第 39 回）

③龜道：「縱盡南山之薪，其如我何？」（第 40 回）

2.作賓語。全書共有 25 例。

④彭宣慰見其朱裳翠袖，珠絡金纓，修眉淡拂，江上遠山，鳳眼斜流，波心澄碧，玉顏與皎月相映，真天上人。（第 7 回）

⑤心炯炯兮常靈，是其顛也而猶仙。（第 34 回）

⑥我只出其不意，攻其無備。（第 37 回）

3.作定語，此用法在《型世言》中用例最多，共 102 例。如：

⑦其女不從，割耳自誓，終久歸瞭解家。（第 1 回）

⑧命中軍沿江打撈其屍。（第 7 回）

⑨其妻道：「你既去，我孤身也難回家，不若隨你入京，看個下落。」（第 8 回）

⑩芳卿因叩其父與弟，仲含道：……（第 11 回）

「其」作為第三人稱代詞的最大特點，是其同樣有回指的功能。如：

⑪鐵氏小姐雖不妝飾，卻也任其天然顏色，光豔動人。（第 1 回）

⑫徐銘之好色，不保其命。（第 21 回）

例⑪中，主語是「鐵氏小姐」，在前半句中已提及，故可視之為先行詞，後半句「任其天然顏色」中的「其」則為回指。例⑫中，「其」也是對先行詞「徐銘」的回指。這些用例，在文中不勝枚舉。

（二）渠　渠儂

在"他"字逐漸發展成爲第三人稱代詞期間，曾經有過兩個代詞跟它一起競爭這個位置，但最終結果是僅僅各自占據了一些方言地區，在官話區域裏完全失敗了[61]。這兩個字一個是本文要討論的"渠"，另一個是下文即將討論的"伊"。"渠"在今天，仍有地方在使用，如吳方言區的寧波、衢縣、金華等地區。用作第三人稱的"渠"，《型世言》中共有 20 例，均出現在書中第 27 回，全部作賓語。如：

①若再來張看，我定用打渠，勿怪粗魯。（第 27 回）

②老兄勿用動氣，個愚徒極勿聽說，阿答也常勸渠，一弗肯改……（第 27 回）

③洪皮匠道："學生定用打渠。"（第 27 回）

④錢公佈道："個須分付令正，哄渠進，老兄拿住子要殺……（第 27 回）

⑤錢公佈道："有服辨在東，怕渠？"（第 27 回）.

⑥"娘戲個，我千難萬難討得個老媽，你要戲渠。"（第 27 回）

⑦渠儂公子，你儂打渠，畢竟吃虧。（第 27 回）

其中，有 2 例表虛指。如：

⑧老兄拿住子要殺，我儂來收扒，寫渠一張服辨……渠儂下次定勿敢來。"（第 27 回）

---

61 呂叔湘，江藍生.近代漢語指代詞[M]. 上海：學林出版社，1985：14.

⑨虧得婦人道："我寧可死，決勿到官個。你怕後患，寫渠一張，放子渠去罷。"（第27回）

"渠儂"在《型世言》中共出現3次，全作主語。如：

⑩還要詐渠百來兩銀子，渠儂下次定勿敢來。"（第27回）

⑪渠儂勿肯聽教誨，日後做向事出來，陳老先生畢竟見怪。（第27回）

⑫渠儂公子，（你儂打渠，）畢竟吃虧。（第27回）

書中第27回出現的如此特殊而使用頻率又如此高的方言代詞，似乎從一個側面告訴我們，陸人龍不是全書的唯一作者，該書極有可能是明代各個地方說書人（或小說家）話本的彙編集。"渠"在第27回中如此頻繁地使用，"阿答"連續三次只在第27回中出現，說明這些言語並不是各地通行的，而是帶有濃厚的地方色彩，作為一個刻書賣錢的書商，很有可能是一個書商，又是一個書籍的編寫者、統稿人。同時，作為一個書商或者說是圖書策劃人，不能不兼顧到浙江乃至全國各地的民眾的口味。因而適當地添點地方土話為"料"，以吸引讀者，這種可能也是存在的。

三、其　他

（一）之

"之"，《廣韻》："上平聲七之，上而切。"其本義為動詞。《說文》認為：之，出也。"之"在春秋戰國時期，開始從動詞中分化出代詞的用法，同時向第三人稱代詞轉化，但並沒有完成這一轉化過程。漢代以後，"之"的使用範圍日趨縮小，直至隋唐時代也沒有發展成爲真正的第三人稱代詞，而是爲後期的"他"所取代。不過，在真正的第三人稱代詞產生以前，"之"曾在一定程度上起過第三人稱代詞的作用。[62]

《型世言》中的代詞"之"出現 139 例，基本上都用作賓語。也有少數用作主語。使用情況如下：

1.用作主語。"之"須與其他成分構成動賓短語後用作主語，有 4 例。如：

①骨肉飄零，止存二人，若我出嫁，妹妹何依？細思之有未妥耳。（第 4 回）

②將手中拂指他左脅，又與藥一九道："食之可以不痛。"（第 4 回）

③未幾君辭館去，繼之者爲洪先生，挈一伴讀薄生來。（第 11 回）

2.用作賓語，《型世言》有 101 例。這是"之"在全書中最多的用法，其用法比較多樣。

（1）充當一般賓語，這是《型世言》中用例最多的，約有 90 例。如：

④鐵參政又將鐵索懸鐵炮，在上碎之。（第 1 回）

⑤他往問之，道生一子。（第 35 回）

⑥前村羊氏女極美，何不往淫之？（第 39 回）

從上述例子中可以看出，"之"作爲人稱代詞，用於陳述句爲多，如例④—例⑤；用於疑問句的情況也有，但是用例較少，如例⑥。

---

62 郭錫良. 古代漢語語法講稿[M]. 北京：語文出版社，2007：80.

其實，作賓語的"之"，其用法的多樣性還可從另一角度剖析如下：

在 101 次用例中，其中有 1/3 用例是用於一般的"主語+謂語+之"句型，如"吾殺之"；另外 1/3 用例是用於"主語+連謂+之"的句法結構中，如"他往問之"；另外約 1/3 用例，分佈於"主語+狀語+謂語+之"的句法結構中，如"妹當手刃之"。

（2）充當心理動詞、感受動詞的賓語，《型世言》中有 8 例。如：

⑦今日先殺你，然後自刎，悔之晚矣！（第 1 回）

⑧那道者將出袖中一紙，乃詩二句，道：鷓鴣之地不堪求，麋鹿眠處是真穴。道："足下識之。"（第 19 回）

在例⑦中，"之"是作心理動詞"悔"的賓語。在例⑧中，"之"爲感受動詞"識"的賓語。

（3）充當介詞賓語，《型世言》中有 2 例。如：

⑨兩縣尊也不覺爲之泣下。（第 2 回）

⑩女子生而願爲之有家，倘其人可托終身，何必固拒？（第 39 回）

3.用作兼語，《型世言》中有 8 例。

⑪此女於我鍾情，今日又有悔過之意，豈可使之淪落風塵？（第 11 回）

⑫不能責之剿捕，試一割於鉛刀……（第 14 回）

⑬伏乞湔其冤誣，賜之策勵，祈鋤大憝，以成偉功。（第 24 回）

此外，"之"在《型世言》中還有虛指的用法，共有 23 例，如：

⑭始初還是夜間熱，發些盜汗，漸漸到日間也熱，加之咳嗽。（第 10 回）

⑮嘗言道：敗子三變：始初蛀蟲壞衣飾，次之蝗蟲吃產，後邊大蟲吃人。（第 15 回）

⑯竇知府笑道：爲朋友的死生以之。（第 20 回）

"之"的虛指用法，一般比較少見，商務印書館 2007 年印刷出版的《古漢語常用字字典》中也未收錄。但在"加之"、"次之""以之"中的"之"的詞義已基本虛化，沒有實義。

在上述虛指的用例中，其中"有之"有 10 個例子，如：

⑰只是妙珍倒耽了一夜干係，怕僧尼兩人知道露機，或來謀害，或圖汙淹，理也有之。（第 4 回）

⑱或者柏茂夫妻縱女通姦，如今姦夫吃醋，殺死有之。（第 21 回）

⑲但只恐其中或是夫妻不和，或是寵妾逐妻，種種隱情，駕忤逆爲名有之。（第 26 回）

（二）彼

"彼"，《廣韻》："上聲四紙，甫委切。"甲骨文、金文中都未出現，春秋戰國以後使用次數才多起來。如《孟子‧滕文公上》："彼，丈夫也；我，丈夫也。吾何畏彼哉？"[63]"彼"可以譯爲"他、他們、對方"。從兩漢到南北朝，"彼"在中古漢語中繼續使用。到了近代漢語，在"彼"作爲第三人稱代詞的用例一般出現在文言中。

63 楊伯峻，何樂士. 古漢語語法及其發展[M]. 北京：語文出版社，1992：117.

《型世言》中的"彼"共有 8 例。占全部第三人稱代詞的比例爲 0.15%。

1.用作主語。《型世言》中有 2 例，如：

①……彼有離兮終相契合，我相失兮憑誰重睹？（第 6 回）

②……時進時止，頂灌甘露，熱心乃死，此中酣適，彼畏痛楚，世尊何以令脫此苦？（第 35 回）

例①中的"彼"指的是其他婦女，雖然丈夫在外，他們守"活寡"，但總還有團聚的希望。而"我"則是真正守寡，毫無希望。因爲前面列舉的不止一種情況，所以，"彼"在這裏還表達的是複數的含義。例②中的"彼"用作單數，可作"他"解。

2.用作賓語。《型世言》中有 2 例，如：

③汝果誠心救彼，可于左脅下刳肝飲之。（第 4 回）

④嗟彼老夫婦，身首頗黎黑。（第 33 回）

例③中的"彼"指的妙珍的祖母，相當於第三人稱代詞"他"，作賓語。例④中的"彼"指的是"老夫婦"，相當於"他們"的意義，表達複數的含義。

3.用作定語。《型世言》中有 4 例，如：

⑤眷彼東家鄰，荷戟交河濱，一朝罷征戍，杯酒還相親。（第 6 回）

⑥婦人拒絕他，道："前村羊氏女極美，何不往淫之？"（鬼）曰："彼心甚正。"（第 39 回）

⑦乃假祖孫，作爲夫婦，五體投地，腹背相附，一葦翹然，道岸直渡，辟彼悟門。（第 35 回）

⑧固宜剪茲朝食，何意愎彼老謀。（第 14 回）

上述例⑤—例⑦中，"彼"作定語，相當於"他的"。這種用法在近代漢語中比較罕見，故只出現在當時的一些文言文中。例⑧所引之文是一篇元代名士王冕寫給丞相的公文書函的一句，勸其早日平定叛亂。"何意愎彼老謀" —— 固然應該早日剿滅（賊人），（但我們）無法揣測他（的）老謀深算。"彼"在這裏作定語。

（三）伊

"伊"作爲指示詞，早在先秦時期就已經出現了。《詩經》中有"所謂伊人，在水一方"《詩經・秦風・蒹葭》。在魏晉時期，正當"他"字在向第三人稱代詞方向轉化時，"伊"字大行其道，頗受青睞。《世說新語》中就有很多的例子。宋元以後，漸漸衰落。到了明代，"伊"已經不多見了。如今，在吳方言、閩南話等方言區中，"伊"還在使用，如"伊飯食了也"（他飯吃了）[64]。

《型世言》中，作第三人稱代詞的"伊"共有 5 例，全部用作定語[65]。如：

①因令予盡挈予妝奩，並竊父銀十許兩，逃之吳江伊表兄于家。（第 11 回）

②豈惡朱安國先乘氏避患，劫伊箱二隻，並殺伊母胡氏。（第 25 回）

③立服辨人陳某不合於今四月廿三日，窺見鄰人岑氏，頗有

64 梅祖麟. 梅祖麟語言學論文集[M]. 北京：商務印書館，2000：290.
65 附帶提一下，《型世言》中的"伊"也有兩例用作語氣詞，表疑問。如：
　　1.皮匠道："便四六分罷，只陳副使知道咱伊？"（第 27 回）
　　2.婦人道："我叫你不要做這事，如今咱伊？還是你儜同我，將這多呵物件到陳衙出首便罷。"（第 27 回）

姿色，希圖奸宿，當被伊夫洪三十六拿住，要行送官。（第27回）

　　④本月准本縣民李良雲告詞，拘審間，伊兄李良雨于上年六月中，因患楊梅瘡病，潰爛成女，與同賈呂達爲妻，已經審斷訖。（第37回）

　　本節小結：《型世言》中，"他"是最主要的第三人稱代詞，且雙音節化明顯

　　從上面的分析可以看出，《型世言》與《金瓶梅詞話》的諸多不同，一是"他每"在《金瓶梅詞話》中有46例，而在《型世言》中則一個也沒有；二是"他家"、"渠"、"渠儂"這些詞在北方方言色彩較濃的《金瓶梅詞話》中未見一例[66]。在時代較早一些的《水滸傳》中，"他家"倒可以看到其作爲第三人稱代詞的用法[67]。

　　從第三人稱代詞的分析中可以看出，"他"字無所不在，運用非常廣泛。文言詞逐漸地脫離口語而被時代拋棄。有些方言詞，因爲其有深厚的群眾基礎，所以有幸能進入《型世言》這樣的文獻，至今仍然在一些地方使用，如"渠儂"、"渠"、"伊"等詞語。

第四節　反身代詞

　　反身代詞，又名己稱代詞、複指代詞。上古漢語中就已經存

66　曹煒.《金瓶梅詞話》虛詞計量研究[M]. 廣州：暨南大學出版社，2011：36.
67　呂叔湘，江藍生. 近代漢語指代詞[M]. 上海：學林出版社，1985：89.

在了，主要有兩個："自"和"相"。到了魏晉時期，"自"的用法比較廣泛。到了唐代後期，"自家"、"自己"這類詞就比較常見了。在宋元時期，"自家"一詞被大量使用。而在明代，"自己"的使用率就超過了"自家"。自明以降，其使用就更為普遍。有關細節我們可以從《型世言》的相關例子中看出來。詳見表7。

表 7 反身代詞分佈及其所占百分比

詞　項	自	自己	自家	各自
次　數	508	149	29	5
百分比	73.51	21.56	4.19	0.72

（一）自

"自"，《說文》："自，鼻也，象鼻形。"甲骨文中的"自"正如鼻子的形狀，後來"自"這個意義引申為"自指"之義，"自"也就有了反身代詞的功能。

"自"作為反身代詞，其用例始於先秦，盛行于魏晉，歷經唐朝五代、宋元、明清，一直到現在還在使用。不過現在它一般以雙音節形式出現在現代漢語中，如"自己"、"自我"等（方言中還有"自家"）。

"自"在《型世言》中作反身代詞的用例最多，達 508 例。占反身代詞總量的 74.05%。其主要用法有：

1."自"作狀語，在語義上同其前的名詞性成分構成複指關係。如：

①各人自管了各人得分的房屋，當中的用則有人用，修卻沒人修。（第 2 回）

②孩兒此去，兩月就回。母親好自寬耐。（第 3 回）

③掌珠道："我不會做生意，婆婆自管店。"（第 3 回）

④及至坐席，四人自坐一處，不與同席。（第 18 回）

⑤寶員外著實安慰一番，道："煙瘴之地，好自保重。（第 20 回）

從例①中我們可以看到"各自"的影子，例②、例⑤兩個例子裏面都有"好自"，但這種用法全書也僅有 3 例，該組合似未形成凝固結構。另外從例④中我們可以看出：反身代詞是不分單複數的。

2.作主語，在語義上同前面的某個名詞性成分構成複指關係。如：

⑥二郎道："這事我老父做的，我怎好自專？"（第 3 回）

⑦這廂自聽耿總兵擇日出師，隨軍征討，大兵直抵真定。（第 17 回）

⑧從此竟不進真氏房中，每晚門戶重重，自去關閉記認。（第 29 回）

值得注意的是：因爲"自"的表"自然"的副詞含義是從表"自己"的代詞含義演化而來的，所以，有時"自"是表"自己"還是表"自然"，很難分辨。如：

⑨他道："胸膈有食，所以發熱，下邊一去，其熱自清。"（第 16 回）

⑩若殺了他總督，其兵自退。（第 17 回）

⑪蓋唯公有此多福，自不湮沒于胡沙……（第 17 回）

（二）自己

"自己"作爲反身代詞似乎沒有"自家"早。"自家"在初唐的文獻中就已經出現了，而"自己"只見于《祖堂集》。晚唐五代以後，"自己"和"自家"漸漸多起來。吳福祥通過一些資料的統計對比，認爲無論是晚唐還是宋代，"自己"比"自家"的用例要少一些。[68]有人認爲它在明代較多，入清以後就更加地盛行[69]。《型世言》中的"自己"共有 149 例，占反身代詞總量的 21.72 %，其用例僅次於"自"，其用例遠遠超過了"自家"。其主要用法如下：

1.作主語。

（1）單獨作主語。如：

①自己出頭露面辛苦，又要撐店，又要服事婆婆。（第 3 回）

②初時還靠個親娘顧看，到後頭自己生了女兒，也便厭薄。（第 4 回）

③自己梳洗了，吃了飯，道："嫂子，咱去，你吃的早飯咱已整治下了，沒事便晏起來些。"（第 5 回）

④我們做好漢的，爲何自己殺人，要別人去償命？（第 5 回）

⑤卻也自己睡不成夢。（第 6 回）

⑥自己沒科舉，有科舉又病，進不得場，轉賣與人。（第 28 回）

（2）緊接在人稱代詞或指人的名詞前面或後面，同其前或其後的成分構成複指關係，一起作主語。如：

⑦還吏員自己作弊，是央人代考、貼桌等項，捷徑是部院效勞，最快的是一起效勞堂官親隨。（第 16 回）

---

68 吳福祥. 敦煌變文的人稱代詞"自己""自家"[J]. 古漢語研究，1994（4）：33-37.

69 馮春田. 近代漢語語法研究[M]. 濟南：山東教育出版社，2000：57-59.

⑧他自己有房子住，有田，有地，走去就做家主婆，絕好人家。（第 19 回）

⑨自己夫妻在家中暗地著人倒換首飾，一兩的也得五錢，折了好些。（第 27 回）

2.作賓語。

（1）單獨作賓語，有的作動賓，有的作介賓，如：

⑩婆子又吃地方飛申，虧毛通判回護自己，竟著收葬，也費了幾兩銀子，房子也典與人。（第 6 回）

⑪娶到家中，為他打點一間房，動用床帳，都與自己一般。（第 16 回）

（2）與"的"構成"的"字短語，作賓語。如：

⑫固是你好意，但你處館，身去口去，如今反要吃自己的了。（第 11 回）

⑬父親沒不三年，典當收拾，田產七八將完，只有平日寄在樊舉人戶下的，人不敢買，樊家卻也就認做自己的了。（第 15 回）

⑭那李良雨暗自去摸自己的，宛然已是一個女身……（第 37 回）

3.作定語。一般不帶"的"。如：

⑮鐵公子知道是自己哥子了，故意問道："家還有甚人？"（第 1 回）

⑯不孝的，就是日日旌表，他自愛惜自己身體。（第 4 回）

⑰一日，寡婦獨坐在樓下，鎖著自己一雙鞋子。（第 6 回）

⑱或是公姑伯叔、自己弟兄，為體面強要留他，到後來畢竟私奔苟合，貽笑親黨。（第 10 回）

⑲你若說爲生兒子，別人的肉，須貼不在自己身上。（第 16 回）

⑳徐銘果然回去，粥飯沒心吃，在自己後園一個小書房裏，行來坐去，要想個計策。（第 21 回）

有時，即使中心詞爲單音節詞，也不帶"的"。如：

㉑就將自己房移出，整備些齊整床帳，自己夫妻與以下人都"相公"不離口。（第 15 回）

㉒那時年久要清，情願將自己地一塊寫與，不要。（第 17 回）

這種情形在現代漢語中一般必須帶"的"。在《型世言》中，我們也發現極個別"自己"作定語時帶"的"的現象。如：

㉓想是桐鄉人討盛氏的身銀，如今卻做了自己的身銀。（第 3 回）

㉔故此若是真有膽力的人，識得定，見得破，看定事，做得來，何必張張皇皇驚嚇裏邊，張大自己的功？（第 17 回）

（三）自家

"自家"作爲反身代詞，早在唐宋就有用例了，它的出現早於"自己"，在唐宋時一直比較強勢，如"不知他命苦，只取自家甜。"（寒山子詩[70]）元明清時期的文獻中也有"自家"的用例[71]。但是在後來的競爭中，它敗下陣來，退居在一些方言中。時至今日，這個詞在吳語地區仍比較常見，如常州方言中還有該

---

70 呂叔湘，江藍生. 近代漢語指代詞[M]. 上海：學林出版社，1985：94.

71 平生常有五恨，那五恨？一恨天，二恨地，三恨自家，四恨爹娘，五恨皇帝。見馮夢龍《警世通言》第五卷 39 頁，江蘇古籍出版社，1995.

詞的使用。《型世言》中作反身代詞的"自家"總共有 29 例，占反身代詞總量的 4.22%主要有以下幾種用法：

1.作主語。

（1）單獨直接作主語。如：

①遇著李二嫂，只是說些公婆不好，也賣弄自家不怕、忤逆他光景。（第 3 回）

②一粒米是我一點血，一根柴是一根骨頭。便是飲食之類，自家也有老婆兒女，仔麼去養別人？（第 4 回）

③或是訴說丈夫好酒好色，不會做家，自家甘貧受苦，或又怨的是公姑瑣屑、妯娌嫉忌、叔姑驕縱。（第 4 回）

④二十四個小兒灑水，自家去打桃針。（第 24 回）

（2）緊跟在稱代人的名詞性成分後面，構成複指關係，作主語。如：

⑤次日，紀指揮自家到坊中查問，有鐵家二小姐、胡少卿小姐，尚不失身。（第 1 回）

⑥因等銀子久坐，這兩個鄰舍自家要吃，把他灌上幾鐘，已是酩酊。（第 6 回）

⑦當日大小姐自家在街上號泣賣身，忽雷博見他好個身分兒，又憐他是孝女，討了他，不曾請教得奶奶。（第 14 回）

⑧錢公佈道："這須不在我，你自家生計策。或者親友處借貸些？"（第 27 回）

⑨那周紹江自家窮，沒得養，請他，竟放他這條路。（第 33 回）

2.作定語。一般不帶"的"，即使是用在單音節名詞之前。如：

⑩凡有爭競，便聚族相殺。便是自家族中爭競，也畢竟會合親枝黨羽鬥毆。（第 2 回）

⑪丟了自家山偏不用，偏去尋別處山。（第 15 回）

⑫便把這事認做自家錯，道："是我誤聽王尼姑……"（第 28 回）

⑬自家寺裏的人，並無親戚，有了個地老虎管事，故沒人來說他。（第 29 回）

（四）各自

"各自"一詞在隋唐以前不太常見。在最初的例句中，"各"和"自"結合得不是很緊密，基本為兩個詞。中古以後完全成為一個詞，但意義的重點還是有時偏向"各"，有時偏向"自"。如《史記·酷吏列傳》："其時兩弟及兩婚家，亦各自坐他罪而族。"語義重點是"各"；《世說新語》中僅見 1 例[72]；而成書於五代的《唐摭言》中也僅見 1 例[73]；《紅樓夢》："這是爺各自買的，不在貨帳裏面。"語義偏重"自"。[74]《型世言》中有 5 例"各自"，因為有"各"，所以帶有逐指功能，因為有"自"，所以還有回指功能。

"各自"在《型世言》中全部用作主語。5 個用例分別為：

---

72 郗公值永嘉喪亂，在鄉里，甚窮餒。鄉人以公名德，傳共飴之。公常攜兄子邁及外生周翼二小兒往食，鄉人曰："各自饑困，以君之賢，欲共濟君耳，恐不能兼有所存。"見劉義慶《世說新語·德行》。

73 其諸支郡所送人數，請申觀察使為解都送，不得諸州各自申解。《唐摭言》

74 太田辰夫. 中國語歷史文法[M]. 蔣紹愚，徐昌華，譯.修訂版.北京：北京大學出版社，2003：110.

　　①重耳、夷吾各自逃往外國。（第 8 回）

　　②喁喁笑語一燈前，玉樹瓊葩各自妍。（第 11 回）

　　③兩邊各自分手。（第 19 回）

　　④姚明就陪他買了些禮物，各自回家。（第 23 回）

　　⑤兩下各自扯開自己的人，只是兩邊內裏都破了臉。（第 35 回）

　　本節小結：在《型世言》中，反身代詞的雙音節化十分明顯

　　從數量的分佈上來看，"自己"占了絕對的優勢，並且從近代漢語走到了現代漢語中。從歷時的角度來看，儘管近代漢語的"自己、自家"與古代漢語的"自"有歷史繼承關係，但他們與近代漢語的"自"有著不小的差別："自"通常與謂詞緊密相連，表示行為狀態的排他性。因此，在語言結構組合的能力上較缺乏獨立性。"自己、自家"則可以較多地單獨用作主語、定語和賓語，具有代詞的獨立性。

　　另外，從上面的分析可以看出，《型世言》與《金瓶梅詞話》中的反身代詞大多相同。不過"自己"的例子仍然呈上升趨勢，在《金瓶梅詞話》中只占 12.28%，而在《型世言》中，"自己"的用例達到了 21.72%。後者比前者多了將近 10 個百分點。這顯示了其日漸流行的強勁勢頭。同時也說明了漢語辭彙由單音節向雙音節發展的必然趨勢，在民間口頭上流傳的，就有生命力，脫離社會生活的，就逐漸走向衰竭。

第五節 旁稱代詞

除了上面四種人稱代詞之外，還有人們談得比較少的旁稱代詞和統稱代詞。這裏我們就不對其源流作詳細的考證，只是簡單地討論一下這兩者在《型世言》中的情況。參見表8。

表 8 反身代詞分佈及其所占百分比

詞項	別人	人家
次數	15	12
百分比	55.55	44.44

（一）別人

與反身代詞相對應的是旁稱代詞。其用法應該從《論語》問世起，就產生了，如"己欲立而立人，己欲達而達人"。這一用法至少在南北朝就比較常見了，如用"人"來稱代別人，與"自己"相對，如：惟鐘會與人意同。[75]後來這種用法漸漸多起來。到了元朝，就有了"別人家"一詞，但明代其他的文獻中"別人"一詞也不是很常見。

"別人"產生時間大約是唐代，意思跟"自己"相對。"別人"的所指往往依靠某個特定的物件作為參考點來確定。如果文中明確有一個跟"別人"相對的項，那麼"別人"就指該對比項以外的人。如果沒有明確的對比項，那麼說話人或聽說雙方就是參考點，"別人"指代說話人或聽說雙方以外的人。

---

75 呂叔湘，江藍生. 近代漢語指代詞[M]. 上海：學林出版社，1985：90-92.

　　《型世言》中共有 15 例作代詞的〝別人〞。按用例的多少，依次排列如下：

　　1.作賓語。這是最主要的一種用法，如：

　　①與你們不是與別人，你們母子出頭露面去告一場，也不知官何如，不若做個人情。（第 2 回）

　　②便是飲食之類，自家也有老婆兒女，仔麼去養別人？（第 4 回）

　　③直到窮穀之中，只見一個人一堆兒燒死在那壁，看來不是別人，正是介子推。（第 8 回）

　　④若說兩鄰，他家死人，怎害別人？（第 21 回）

　　2.作定語，這種用法也比較多，如：

　　⑤那婦人也笑吟吟收了，你看我，我看你，看了一會，正如肚餓人看著別人吃酒飯，看得清，一時到不得口。（第 5 回）

　　⑥你若說爲生兒子，別人的肉，須貼不在自己身上。（第 16 回）

　　⑦你道是他好友，你殺了他，劫了他，又做這匿名，把事都卸與別人。（第 22 回）

　　3.作兼語，這種用法，用例最少，如：

　　⑧我們做好漢的，爲何自己殺人，要別人去償命？（第 5 回）

（二）人家

　　〝人家〞一詞早已有之，但作旁稱代詞的〝人家〞出現得比較晚。較早的相關例子出現在元代，〝想別人家奴胎也得個自在。"[76]到了明清，作旁稱代詞的"人家"[77]才慢慢多起來。如《紅樓夢》、《兒女英雄傳》中，其用例較多。從漢語史的角度看來，"人家"可以看作是名詞"人"加詞綴"家"而產生的。因爲在上古漢語中，就有"人"表他稱的。如：己所不欲，勿施於人。（《論語·顏淵》）。[78]

《型世言》中的"人家"例子比較少，總共有 12 例。這裏的旁稱代詞"人家"，其含義主要有如下兩種：

1.指自己或某人以外的人，相當於"別人"：

①于倫又向鄰人前告訴徐婆調撥他妻，把阿婆賣與人家做奶母。（第 3 回）

②汪蠻謀占人家婦女，教唆詞訟。我們明日到道爺處替他伸冤。（第 6 回）

③如今除告減之外，所少不及百擔，不若將奴賣與人家……（第 7 回）

④田伯盈家裏整治得好飲食，花紋、甘毳極口稱讚，道這是人家安排不出的，沈剛便賭氣認貴，定要賣來廝賽。（第 15 回）

⑤眾人又跪上去道："老爺，日前水變，人家都有打撈的，若把作劫財，怕失物的紛紛告擾，有費天心。據鄭氏說殺他母親，也無見證。"（第 25 回）

---

76 呂叔湘，江藍生. 近代漢語指代詞[M]. 上海：學林出版社，1985：90-92.

77 現代漢語中的"人家"，還有作"我"解釋這一義項，有關其他"人家"的資料，可以參見王多梅.漢語學習[J].1997（4）：50-53.從《警世通言》的材料看來，在明代中後期，已經有"別人家"、"人家"的例子，但也未見一例有作"我"解釋。可見"人家"一詞的最初用法還是從旁稱代詞開始的。現代漢語中的用法仍還是以旁稱代詞爲主。

78 太田辰夫. 中國語歷史文法[M]. 蔣紹愚，徐昌華，譯.修訂版.北京：北京大學出版社，2003：111.

⑥便叫吳爚："你這奴才，若論起做媒沒人，交銀無證，坐你一個誆騙人家子女，也無辭。"（第26回）

"人家"在例①、例③中作賓語，在例②、例⑥中作定語，例④"人家"作賓語部分句法結構的主語。在例⑤中作主語。可見其用法也是比較多的。

2.指某個人或某些人，意思跟"他"相近，如：

⑦二位不是這樣了，人家請我們看病，怎請我來爭？須要虛心。（第16回）

⑧四尊道："有你這樣禽獸。人家費百余金請你在家，你駕婦人去騙他，已是人心共惡。（第27回）

⑨（尼姑）口似蜜，骨如綿，先奉承得人喜歡，卻又說些因果打動人家，替和尚游揚贊誦。（第28回）

⑩庾盈道："叫我仔麼？這天理人心，虛的實不得。我多大人家，做得一個親，還替人家斷送得兩個人？"（第33回）

上述例子中，例⑦—例⑧中的"人家"作主語，例⑨—例⑩的"人家"作賓語。

從上述例子中可以看出，"人家"作第一人稱代詞"我"解釋的現象還沒有出現。《型世言》中的"人家"一詞共有142例。但是真正作代詞用的例子很少，大多作名詞"住戶"解，或和"老"構成"老人家"這一尊稱，另外還有一種吳方言中的用法："做人家"，即"勤儉，會持家"之義。

本節小結：旁稱代詞在明末數量不多，尚處於發展初期

兩個旁稱代詞"別人"、"人家"，在書中的例子都相對較少，不多見於其他明代的文獻（《警世通言》中也只有數例）。

我們相信，這些例子的分析對明代旁稱代詞的研究是很有益的。

第六節　統稱代詞

統稱代詞是用來指稱一定範圍內所有人的代詞。《型世言》中出現的統稱代詞有 2 個：大家、彼此。詳見表 9。

表 9　統指代詞分佈及其所占百分比

詞　項	大家	彼此
次　數	31	20
百分比	60.78	39.21

（一）大家

"大家"作爲"統稱代詞"，稱代一定範圍內所有的人，包括說話人在內的人稱代詞。

其實，"大家"一詞早在先秦時期就已經出現，但表統稱的意義出現得較晚。其在先秦時的主要意義有兩個：一是指王的子弟及公卿、大夫所領有的較大的封地。二是指有較大封地的家族。漢魏六朝時期，"大家"由"有較大封地的家族"引申爲"豪門貴族、大戶人家"[79]。一般公認的是，它在唐代就已經出現了表統稱意義的用例，如王建的詩："茱萸酒法大家同。"杜荀鶴的詩："大家拍手高聲唱"[80]

---

79 盧烈紅.《古尊宿語要》代詞助詞研究[M].　武漢：武漢大學出版社，1998：60-62.

80 太田辰夫.　中國語歷史文法[M].　蔣紹愚，徐昌華，譯.修訂版.北京：北京大學出版社，2003：112.

《型世言》中，"大家"作代詞的用法共有 31 例，全部作主語。如：

①打開匣子，裏邊二十封，封封都是石塊。大家哄了一聲，道真神！（第 5 回）

②見宮中火起，都道是建文君縱火自焚，大家都去擁立新君，護從成祖，謁了陵，登極。（第 8 回）

③大家亂了半夜，已是十四日，到了早辰，烈婦睡在床中……（第 10 回）

④姜舉人道："賊，賊，賊！"一個眼色丟，大家都不做聲了。（第 11 回）

⑤大家吃了一驚，看時，一個死屍頭破腦裂，挺在地下。（第 13 回）

⑥把來揩磨了半日，帶到孫家，大家相見。（第 32 回）

（二）彼此

"彼此"由指示代詞"彼"和"此"構成，指"你我雙方"或一定範圍內所有的人。《型世言》中共有 20 例，其中有 16 例用作主語，有 4 例用作賓語、兼語及狀語。使用情況如下：

1.作主語，有 16 例。如：

①妙珍已自覺酬應不堪，又細看這幹人，內中有幾個老的，口裏念佛得幾聲，卻就扳親敘眷，彼此互問住居。（第 4 回）

②（陰氏）又向吳氏，托他照管。彼此飲泣。（第 16 回）

③夫人道："李郎原是宦家，骨氣不薄，你又看得他好，畢竟不辱門楣。但二女俱配豪華，小女獨歸貧家，彼此相形，恐有不悅。"（第 18 回）

④一日回來吃飯，同伴有人鋤地，他就把鋤頭留在地上，回了去時卻被人藏過。問人，彼此推調。（第 19 回）

2.作賓語，有 2 例。如：

⑤與他做三朝，做滿月，雇奶子撫養，並不分個彼此。（第 16 回）

⑥與吳氏兩個朝夕相傍，頃刻不離，撫育兒子，不分彼此。（第 16 回）

3.作兼語，僅見 1 例：

⑦金老夫婦墳與鐵尚書墳並列，教子孫彼此互相祭祀。（第 1 回）

4.作狀語，僅見 1 例：

⑧陸仲含與他彼此相視，陸仲含也覺有些面善，慧兒卻滿面通紅，低頭不語。（第 11 回）

"彼此"一詞，雖然有表對舉之義，如例⑥、例⑧。但是更多時候是表統指，如例①、例④。

本節小結：統稱代詞在明末數量不多，尚處於發展初期

兩個統稱代詞"大家""彼此"，是從中古漢語發展而來的。在本書中的例子都比較少，不多見於其他明代的文獻。我們認爲，這些例子的搜集和分析，對明代統稱代詞的研究是很有幫助的。

結　論

從上述六節的分析中，我們可以看出：

一、 "你" "我" "他" 已占據絕對優勢

1.《型世言》中的 "我" 字系列代詞共有 2375 例，占全部第一人稱代詞的 91.35%，有絕對的優勢；而 "吾" 只有 25 例，僅占全部第一人稱代詞的 0.96%。這表明了上古漢語第一人稱代詞在近代漢語中的全面退卻。

2.《型世言》中的 "你" 字系列代詞共有 1809 例，占全部第二人稱代詞的 98.05%，也遠比 "爾" （共 24 例，占其總量的 1.30%）和 "汝" （共 10 例，占其總量的 0.54%）多。這表明了上古漢語第二人稱代詞在近代漢語中已基本解體，僅僅見於文言或少數方言中。

3.在第三人稱領域裏， "他" 字系列代詞更是幾乎包括了所有的第三人稱代詞，占全部第三人稱代詞的 93.39%。以 "厥、其、之、彼" 爲代表的第三人稱代詞已基本趨於消亡了。

二、 "吾" "爾" "伊" 已全面退卻

這些資料向我們傳遞了這樣一個資訊：以 "吾"、 "爾"、 "伊" 等爲代表的古漢語人稱代詞已經基本從明末的口語中全面退卻了。

第二章 《型世言》中的指示代詞

漢語發展到唐代以後，指示代詞系統才逐步形成。指示代詞是對所指代的物件（人、事物或情況）有指示、起區別作用的代詞。指示代詞有稱代和指示兩種作用，稱代是它作爲代詞的共同屬性，指示是它的特殊屬性。所以，當指示代詞代替名詞充當主語、賓語時，它兼有指示、區別的功能，當它充當定語時，指示作用更加明顯。關於指示代詞的分類，各種研究專著中是大同小異。在此，我們按一般的分類法，把《型世言》中的指示代詞分爲三類（近指代詞、遠指代詞、兼指代詞）來進行分析。

第一節　近指指示代詞

近指代詞是指示在空間上、時間上或心理上距離較近的對象的代詞。上古漢語的近指代詞有“之、茲、時、此、斯、是、寔、實、伊”等 9 個，“之、茲”出現最早，商代卜辭中就已經有了；“斯、是”時間稍晚，見於西周金文；“時、此”更晚一些。中古漢語產生了“這、遮、者、赭”等近指代詞，並構成了“這個、這裏、這般、這樣”等複音詞。到了近代漢語，“這、遮、者、拓”等形式逐漸統一爲“這”，中古產生的複音詞也得到了廣泛的應用。[1]

　　《型世言》中的近指代詞有"這、這些、這等、這樣、這邊、這裏、這番、這廂、這幹、這廝、這班、這般、此、是"等 14 個。詳見表 1。

表 1　近指指示代詞分佈及其所占百分比

詞項	這	這些	這等	這樣	這邊	這裏	這番	這廂	這幹	這廝	這般	這班	此	是
次數	1948	231	181	121	105	86	41	36	29	8	6	6	710	9
百分比	55.42	6.57	5.15	3.44	2.99	2.45	1.17	1.02	0.83	0.23	0.17	0.17	20.20	0.26

（一）這

　　一般認爲，"這"是在唐朝時期就已經出現的一個表近指的代詞。起初有"這、者、遮、赭"等不同的書面形式。關於"這"的來源，目前有以下幾派觀點：（1）呂叔湘先生認爲來源於上古漢語的"者"，"者"在古代就有指示作用[2]。（2）高名凱、王力等認爲來源於上古漢語的"之"。高名凱的理由是"者""遮"、"這"、"只"都是同一個詞，不過用不同的字寫出來而已。關於其來源，高先生認爲，"者"和"之"不論是在上古或是中古，都是同樣聲母的字，它們的關係是很密切的，它們實在是一類的字。[3]王力的論據是因爲中古"之"的口語語音和文言的"者"音相混，所以才有人借用了"者"字來表示"之"[4]。（3）

1 向熹. 簡明漢語史（下）[M]. 北京：商務印書館，2010：88-89，374-378.
2 呂叔湘，江藍生. 近代漢語指代詞[M]. 上海：學林出版社，1985：185.
3 高名凱. 漢語語法論[M]. 北京：商務印書館，1986：109-110.
4 王力. 漢語史稿[M]. 北京：中華書局，1980：284.

太田辰夫則認為,其語源不明。不能肯定是從"之"發展來的。[5]
(4)而周法高則認為,"這、遮、者、赭"等詞統一為"這"字,在元代就已經完成了。[6]

宋元以降,"者""遮"趨於消失,而未被時代淘汰的"這"字大放異彩。到了明代,我們從《型世言》中可以看出,"這"的用法得到了廣泛展現,現代漢語中的用法基本上都能在該書中找到例子。《型世言》中單用的"這"共有1948例,占全部近指代詞的55.42%。

《型世言》中的"這"概言之,主要有如下一些用法:

1.作主語。

(1)單用或帶上量詞構成指量短語,直接稱代。

A 指事情:

①一時激烈,也便視死如歸,一想到舉家戮辱,女哭兒啼,這個光景難當。(第1回)

②況且贏得時,這些妓者你來搶,我來討,何曾有一分到家?這正是贏假輸真。(第15回)

③沈實道:"這我自償命。"(第15回)

④如蘇秦,他因妻嫂輕賤,激成遊說之術,取六國相印。後就把這激法激張儀,也為秦相。這都是激的效驗。(第19回)

5 太田辰夫. 中國語歷史文法[M]. 蔣紹愚,徐昌華,譯.修訂版.北京:北京大學出版社,2003:112.

6 周法高. 中國語文論叢[M]. 臺北:正中書局,1963.周先生的說法也許是針對的通用語而言的。筆者所掌握的常州金壇方言中,也有"近指—近指"的區分。如近指、遠指代詞有:格個(這個)—耐個(那個),格頭(這裏)—過頭(那裏),格些(這些)—耐些(那些)。近指代詞"格"基本還保留著中古以前的讀音。這個發音為"格"的近指代詞其本字是否為"者"呢?從語義的對應上和讀音上看,有這個可能。

⑤何如談笑間，把二賊愚弄，緩則計生，卒至身全，庫亦保守，這都是他膽略機智大出人頭地，故能倉卒不驚。（第22回）

B 指事物：

⑥余姥姥道：「奶奶，這是夜間消悶的物兒。」（第12回）

⑦這都是好人家。（第16回）

⑧朱正便失驚道：「這話蹺蹊。若劫去，便該回來了。……」（第23回）

⑨朱正便摸出帖子呈上縣尊，道：「這便是證見。」（第23回）

⑩徐公子道：「他這佛地久污的了，我今日要與他清淨一清淨。」（第29回）

C 指情形：

⑪輪著講書，這便是他打盹時候，酣酣的睡去了……（第15回）

例⑪中的「這」，不僅前指「輪著講書」，還後指「酣酣的睡去」。

D 指人：表單數，也表複數。

⑫況且脅骨折了三條，從那一個所在把手與他接？這除非神仙了。（第12回）

⑬張老二、任禿子、桓小九，這是任敬等家丁，雖供狀無名，也是知情的了。（第22回）

⑭那宗旺道：「這是文德坊裘小一裘龍的好朋友，叫陳有容，是他緊挽的。」（第23回）

例⑫、例⑭中的「這」表單數，而例⑬中的「這」則表複數。

2.作賓語。

⑮只是慧娘道："母親，富家在此讀書，極其鄙吝，怎助這許多？……"（第 13 回）

⑯沈氏道："他要上這許多，叫我怎做主？……"（第 28 回）

3.作定語。

（1）直接放在名詞或名詞性成分之前，作定語，表近指。

⑰若沒這圈，咱一個也當不得點心哩！（第 9 回）

⑱他生在元末，也就不肯出來做官，夫耕婦織，度這歲月。（第 14 回）

⑲又恐被人暗害，反帶了這小主逃難遠方……家財複歸小主。（第 15 回）

⑳這阿虎、阿獐聽了，兩個果然請上酒店，吃了一個大東。（第 15 回）

㉑這所在沒錢撰，還要賠性命。這所在那個去？（第 20 回）

㉒這滑縣一邊是白馬山，一邊滑河，還有黎陽津、靈昌津，是古來戰爭之地。（第 22 回）

㉓那朱愷把他看了又看，道："甚人家生這小哥？好女子不過如此。"（第 23 回）

㉔這事謀財謀命，本宜重處。（第 25 回）

㉕可笑殺了你，這玉簪不是他的麼？（第 32 回）

例⑱—例⑲中的"這"也能用"那"來代替。例㉓中，"這"用來表近指，含有親近、讚賞的意味。然而在例㉔中則似表貶義。

在《型世言》中，"這所在"、"這事"出現的次數也比較多，"這所在"相當於今天的"這個地方"，"這事"相當於今天的"這件事"，省略了現代漢語中語法中慣用的量詞。

　　《型世言》中有"這苦楚"2例，"這苦"8例。前者用於君臣，而後者一般用於平民百姓，可見文白相雜的現象在《型世言》中也是存在的。

　　（2）同量詞"個"、"把"、"片"、"所"、"椿"等構成指量短語，作定語，表示近指。

　　㉖不期他兩人聽了這片歪語，氣得聲都不做。（第2回）

　　㉗這番遇著徐婆，說起這椿親事……（第3回）

　　㉘況這個人，又不是我至親至友。（第14回）

　　㉙王兄，我看你肚裏來得，怎守著這把鋤頭柄？（第14回）

　　㉚沒奈何還了他這所房子，又貼他一百兩。（第15回）

　　（3）放在數量短語前面，作定語，表近指。

　　㉛鐵尚書道："左右也是死數，不必尋他。"這兩位小姐也便哭泣一場。（第1回）

　　㉜沒主意的小夥子，被這兩個人一扛，扛做揮金如土。（第15回）

　　㉝這三個寡婦又不因他成了人，進了學，自己都年紀大，便歇，又苦苦督促他，要他大成。（第16回）

　　㉞也經過幾個荒歉年程，都是這三個支持。（第16回）

　　㉟這三個都是咱兄弟。（第22回）

　　作定語時，有時候"這"同中心語構成的偏正短語同"這"前面的名詞性成分構成複指關係。如：

　　㊱王指揮道："服侍有了採蓮這丫頭，與勤兒這小廝，若沒人作伴，我叫門前余姥姥進來陪你講講兒耍子。咱去不半年就回了。"（第12回）

　　㊲他這小官家，只曉得好閒快樂，自己攬了個妓女小銀兒，

叫花紋去擲，花紋已是要拆拽他的了。（第 15 回）

㊳好得，又遇府中祈雨，裏遞故意要他這說嘴道士，他又不辭。（第 24 回）

㊴江花這丫頭極好，常道："小師父，你這樣標緻，我嫁了你罷。"（第 29 回）

例㊴中，"這"與"丫頭"組成偏正短語，而"這丫頭"與"江花"又構成了複指的關係。

《型世言》中的"這"的語法特點：

1.有時可以表遠指。如：

㊵只是那日朱安國奪了兩個箱子，打開來見了許多絲布、銅錢、銀子、衣服，好不快活。又說話道："當時一發收了這女子，也還值幾個銀子。"（第 25 回）

㊶只見這女子還半浮半沉，撲著箱子道："大哥，沒奈何只留我性命，我將箱子都與你，便做你丫頭，我情願。"安國看看，果然好個女子……（第 25 回）

例㊵中，朱國安說話時，事情早已過去好幾天了，故"這女子"在現代漢語中一般用"那女子"，例㊶中也是如此 —— 特大洪災中撲騰的女子其實離朱安國還有相當的距離。

2."這"還可以用來指某個人，如：

㊷據我聞見還有個事起於卒，終能除盜保身，這也是極能的能吏。（第 22 回）

3."這"有指代功能，但更表示"強調"的語義，如：

㊸這楊寡婦已是看中了人物，徐外郎處胡似莊一力攛掇，竟成了這親，徐外郎就入贅他家。（第 31 回）

上文提到的例㉕"這玉簪"中的"這"也是表示強調。

4. "這"也表示複數概念

如上文例④中的"這都是激的效驗",指代前面與話本主題有關的幾件事,相當於"這些"。"這"在這裏就相當於複數的"這些"。上文例⑬中的"張老二、任禿子、桓小九,這是任敬等家丁"。例㉛—例㉟中的"這兩位"、"這三個"等等,在現代漢語中,一般用"這些",而不用"這"。所以,在《型世言》中我們可以看出,"這"表複數的頻率比現代漢語中表複數的頻率要高一些。由此,我們可以清晰地看到,近指代詞"這"在近代漢語向現代漢語演化過程中的還殘留著一些歷史的痕跡。

5. "這"還能用作受到驚嚇時結結巴巴的語言,如:

㊹錢公佈道:"那那有有這這樣樣事?"(第 27 回)

(二)這些

指示代詞"這些"出現得比較晚,《金瓶梅詞話》中也沒有這方面的用例。[7]但《警世通言》中已經有這樣的例子了 —— "東坡暗想道:'這老甚迂闊,難道這些書都記在腹內?雖然如此,不好去考他。'"[8]在後來的《紅樓夢》、《兒女英雄傳》等書中多見代詞"這些"。《型世言》中"這些"的用例共出現 231 次,僅次於"這",位居第二,占全部近指代詞的 6.57%。

《型世言》中的"這些"主要用作主語、定語和賓語。試分析如下:

1. 直接作主語。如:

①王大郎,不要不識俏!這些不夠打發仵作差使錢。(第 2

---

7 曹煒.《金瓶梅詞話》虛詞計量研究[M]. 廣州:暨南大學出版社,2011:40.
8 馮夢龍.《警世通言》第三卷[M]. 南京:江蘇古籍出版社,1995:26.

回）

②這吏員官是個錢堆，除活切頭、黑虎跳、飛過海，這些都是個白丁。（第 16 回）

③這些可以作考中，免省祭，還可超選得好地方。（第 16 回）

④老爺說公子在這廂攪擾，這些須薄意謝你的薪水之資。（第 29 回）

⑤他又道這些都是濁人，雖得元陽，未證仙果，待欲化形入鳳陽城市來。（第 40 回）

⑥這些不過是和尙胡說的，當得甚麼？（第 40 回）

例①、例④中的"這些"指代錢財。例②、例⑤中指代人。例③中指官場種種黑暗的情形。例⑥中指言語。由此可見，"這些"所指代的範圍相當廣泛。

2.直接作定語。這種情形最爲常見。如：

⑦這些家人見了，也有咬指頭的，也有喝采的。（第 1 回）

⑧這邊程編修竟奔入宮，只見這些內侍，多已逃散……（第 8 回）

⑨劉起士便買了吏巾，到刑部中與這些當該一體參謁，與這些人談笑自如。（第 12 回）

⑩或至相爭，都把這些繁華富貴來說。（第 17 回）

⑪還有這些不識俏的，還這等趕陣兒，一撞兵來，束手就縛。（第 22 回）

⑫故此把這些物件都歸了你，把你作官司本，只不要扯我在裏邊。（第 27 回）

⑬徐文正在外面與這些鄰舍說天話，聽得裏面爭嚷……（第

35回）

⑭來至上清宮，這些提點都出來迎接，張真人也冠帶奉迎。
（第40回）

由例⑦—⑭可知，就《型世言》全書看來，"這些"一詞在
每一回的分佈基本上是比較均衡的。這說明該詞已完全融入明代
的官話系統之中了。

3.直接作動賓或介賓。如：

⑮他父親是個老白想起家，吹簫鼓琴，彈棋做歪詩，也都會
得，常把這些教他，故此這女子無件不通。（第11回）

⑯朱愷是個嬌養的，肩了這些便覺辛苦，就廟門檻上少息。
（第23回）

我們發現，《型世言》中的"這些"也可表遠指，用同"那
些"。如：

⑰（黃參政）著人隨風（追）去，直至崇慶州西邊寺，吹入
一個池塘裡。黃參政竟在寺裏，這些和尚出來迎接。（第21回）

⑱哦，是他。是一個浪子，專一結交這些無賴，在外邊飲酒
宿娼賭錢。（第23回）

⑲他當時黑夜差人在山崖上放上一個炮，驚得這些苗夷逃的
逃，躲的躲，跌死的跌死。（第24回）

⑳王司房道："寒家那有玉帶，是上位差學生買來進禦的。
有些古玩酒器，這是家下之物，只要還了學生這些物件，把這幾
人問罪，不及令親罷了。"（第32回）

㉑徐文正在外面與這些鄰舍說天話，聽得裏面爭嚷……（第
35回）

例⑰—例㉑中的"這些"，所指代的事物都在空間上比較

遠。若按現代漢語的用法，一般用"那些"來稱代。

"這些"的語法特點：

《型世言》中的"這些"以近指為主，但是也有遠指功能。

我們一般用"這些"來指代比較近的事物，如"這孩子"、"這地方"，"孩子"和"地方"一般來說，離說話人都比較地近。但是有時候我們無法判斷所指稱的事物與自己指稱時的距離，所以從認知心理上講，當沒有所要比較的物件時，對話雙方自己指稱熟悉的人或事物，往往用"這"、"這些"；反之，當人們指稱自己不熟悉的人或事物時，往往用"那"、"那些"。

例⑰中，"竟在"即"直接到"，"這些和尚"應為"那些和尚"，因為上文中並沒有提到"和尚"，受眾（聽話人、聽眾）眼前貿然出現一個"這些和尚"，在現代漢語裏是說不通的。故這裏的"這些"實際上表遠指，稱代"那些"（和尚）。

例⑱中，說話人用"這些"指稱那些"無賴"時，無賴們並不就在眼前，若放在現代漢語中，則宜用"那些"來指稱。

例⑲—例㉑也可以同理進行分析。

（三）這等

"這等"是近代漢語中新近出現的代詞。比"這樣"出現得晚一些。就目前掌握的資料看來，它到元代以後才開始出現。[9]《型世言》中"這等"的用例共出現 181 次，僅次於"這"和"這些"，位居第三，占全部近指代詞的 5.15％，而"這樣"的用例則明顯少於"這等"，只出垷 121 次。對於這種情況，有學者認

---

9 馮春田同時認為：在宋代"這樣"的用例也不如"這般"常見。馮春田. 近代漢語語法研究[M]. 濟南：山東教育出版社，2000：107-108.

爲：大概宋元時期，"這樣"始終處於弱勢，而"這等"、"這般"是強勢的。[10]但在《型世言》中，"這般"已經被淘汰下來，全書中僅有 6 例。而"這樣"已經基本取代了"這般"的地位。

《型世言》中"這等"的主要用法如下：

1.作主語。這種用法比較少，全書僅有 7 例，占"這等"全部用例的 3.86%。

①呂達道："這等是個太監模樣麼？"（第 37 回）

②張茂先道："這等止有燕昭王墓前華表木，已有千年。"（第 40 回）

2.作謂語，其含義相當於"這麼說來"。全書僅此 1 例，占"這等"全部用例的 0.55%。說明這種用法極少，如：

③鐵公子道："兄這等便是鐵尚書長公子了，他令愛現在此處，兄要一見麼？"（第 1 回）

這句話翻譯成現代漢語即爲："兄長這麼說來便是鐵尚書的長公子了……"

這裏我們把"兄"看作主語，把"這等"看作謂語，二者組成主謂短語作句子的主語。

3.作賓語，其含義相當於"這樣"。全書僅此 1 例，占"這等"全部用例的 0.55%。說明這種用法極少，如：

④只見寡婦笑道："若是這等，有了他，須不要我？"（第 6 回）

4.作定語，修飾名詞性成分，相當於"這樣的"。全書共 41 例，占"這等"全部用例的 22.65%。由於用例較多，我們仔細分

10　曹煒.《金瓶梅詞話》虛詞計量研究[D]. 廣州：暨南大學出版社，2011：48.

析後，發現還存在一些比較有趣的現象。

A：“這等”+名詞

⑤何知縣道：“不信和尚有這等造化。我老爺一向尋不出一個人。”（第30回）

⑥陳騾山道：“有這等事，是個仙了。可容見麼？”（第40回）

在上述用例中，可以看出“這等”是直接修飾“造化”、“事”等名詞的。

B：“這等”+名詞短語

⑦有這等怪婦人，平日要擺佈殺丈夫，我屢屢勸阻不行，至今毫不知悔。（第5回）

⑧有這等糊塗官，怎我殺了人，卻叫張嬰償命？（第5回）

而在這類短語中，更爲有趣的是“這等+一個+名詞”的語法現象，如：

⑨這石不磷好沒來由，這等一個標緻後生，又沒家眷，又千余裏路，月餘日子，你保得他兩個沒事麼？”（第20回）

⑩將次相完，有這等一個外郎，年紀二旬模樣，也過來一相。（第31回）

在上述兩個句子中，“這等”起強調的作用。例⑨中“這等”的用法基本和現代語法沒有什麼差異。而其在例⑩中的用法，則起到提示下文的作用。像這種語義後指的現象就《型世言》全書而言，也是不多見的。

5.作狀語，修飾謂詞性成分，相當於“這麼”。全書一共有72例這樣的用法。占“這等”全部用例的39.77%。

A：其中修飾動詞的有38例，占“這等”全部用例的

20.99%。如：

⑪於倫道："是隔壁徐親娘送到水口的，怎這等說？"（第3回）

⑫沈實見老家主這等將就，在外嫖賭事，也不敢說了。（第15回）

B：其中修飾形容詞的有 38 例，占"這等"全部用例的18.78%。如：

⑬眼前沒兒女，有一餐，沒有一餐，置夏衣，典賣多衣，這等窮苦，如何過得日子？（第10回）

⑭有的道："虧他這等慷慨，還虧他妻子倒也不絮聒他。"（第19回）

⑮難道這等花枝樣一個姐兒，叫他去伴和尙？（第28回）

例⑮中，"這等花枝樣一個姐兒"在所有作狀語的用例中最有意思，和前文中"這等"作定語的例子"這等一個標緻後生"相映成趣。由於數量詞"一個"位置的不同，"這等"的功能也不一樣。

此外，"這等"還有緊縮複句，如例⑯—例⑰，或者作爲分句直接充當複句成分的用法，如例⑱—例⑲，這種用法共有4例。如：

⑯鐵公子道："這等待小弟引兄同往。"（第1回）

⑰這等汪知縣也不消拘把檢屍做世名生路了，上司也只依擬。（第2回）

⑱鐵匠道："這等，打一把純鋼的。"（第2回）

⑲蔡婆道："這等，要去尋個火居道士來？"（第35回）

結論："這等"到了明代晚期,其作狀語用法占絕對優勢

如上所述,成書于明初的《水滸傳》中"這等"作定語的用法占了絕對優勢[11],而到了明代晚期,"這等"作狀語的用法已經超過了定語。由於其用例數量大增,其作狀語的用例也細化爲兩類:一類是修飾動詞;另一類是修飾形容詞。且修飾動詞的"這等"占有數量上的優勢。由上述分析可知,"這等"在《型世言》中的主要用法按權重排列,依次是作狀語、作句子成分、作定語,與《水滸傳》中的明顯不一樣。詳見表2、表3。

表 2 《型世言》中"這等"的用法及其分佈

用 法	作主語	作謂語	作賓語	作定語	作狀語		作補語	作句子成分	
					狀[1]	狀[2]		緊縮複句	分句
用 例	7	1	1	41	38	34	0	54	5
百分比（%）	3.86	0.55	0.55	22.65	20.99	18.78	0	29.83	2.76
					39.77			32.59	

注:狀[1]爲修飾動詞的狀語,狀[2]爲修飾形容詞的狀語。

表 3 《水滸傳》中"這等"的用法及其分佈

用 法	作定語	作狀語	作主語	作謂語
次 數	73	43	4	1
百分比	60.33	35.54	3.30	0.83

(四) 這樣

和"這等"相比,"這樣"出現得比較早一點,至少在宋代其就具有代詞的用法了。關於"這樣"發展及源流的敍述,見上

---

11 曹煒等.《水滸傳》虛詞計量研究[M]. 廣州:暨南大學出版社,2009:233.

文"這等"的論述。"這樣"在《型世言》中"這樣"的用例位列第四，共出現 121 次，占全部近指代詞的 3.44%，顯示了其旺盛的生命力。

《型世言》中"這樣"的主要用法如下：

1.作定語。"這樣"和所修飾的中心語之間可以加結構助詞"個"或"的"：

①真個是風流子弟，接著這樣人也不枉了。（第 1 回）

②這樣老淫婦，自己養漢，又要圈局媳婦，謊告。（第 6 回）

③只不知我父親今日揀，明日擇，可得這樣個人麼？（第 11 回）

④若是我徒弟去時還了俗，可也生得出你這樣個小長老哩。（第 35 回）

⑤我聞得南邊人作大嫩，似此這樣一個男人，也饒他不過。（第 37 回）

2.作狀語。

⑥又早晚這樣哭，哭壞了，卻也裝不架子起，騙得人錢。（第 1 回）

⑦兒子，這樣孝順，我怎消受得起！（第 4 回）

⑧耿埴眼清，道這是個花子，怎這樣打扮？（第 5 回）

⑨爺呀！怎拶做這樣腫的？想是打壞了！（第 6 回）

⑩采菱道："這樣說起來是假狠了。"（第 11 回）

⑪朱愷道："朋友相處，怎這樣銖兩！"（第 23 回）

例⑪中的"銖兩"雖然是名詞，但在這裏卻用作動詞。所以"這樣"也是作狀語。

3.作動詞或係詞的賓語：

⑫你從不曾吃這苦，蚤知這樣，便依了他們罷。（第6回）

⑬你不曉的，做先生要是這樣。（第11回）

⑭二位不是這樣了，人家請我們看病，怎請我來爭？（第16回）

⑮這只好在寺裏做的，怎走到人家也是這樣？（第28回）

⑯周外郎，你也等我做一做。你是這樣，外觀不雅。（第30回）

4.作主語，用例較少：

⑰這樣我有一頭媒，爲足下做了罷。（第1回）

據有的學者研究[12]，"這樣"一詞在《金瓶梅詞話》中還沒有作稱代的用法。可見，雖然《型世言》中的"這樣"作主語、賓語的例子不多，但也是值得關注的。

（五）這邊

"這邊"一詞是由指示代詞"這"和方位詞"邊"組合所構成的表處所的代詞。該詞最早出現在唐代的文獻中。《古尊宿語要》中有這麼個例子 —— 師曰："過這邊立。"[13]這樣的例子不止一個。"這邊"有時也作"者邊"、"這伴"、"這畔"等諸多不同的寫法。這說明，"這邊"一詞早在唐代口語中就比較常見了。至於怎麼寫比較規範，當時人們還考慮得不是太多。《型世言》中，還有一個"這壁"的寫法，與"那廂"對舉使用。可以認定，"這壁"也是《型世言》中"這邊"的另一寫法。"這邊"（含"這壁"）在《型世言》中的用例達105例，占全部近

---

12 曹煒.《金瓶梅詞話》虛詞計量研究[M]. 廣州：暨南大學出版社，2011：52.

13 盧烈紅.《古尊宿語要》代詞助詞研究[M]. 武漢：武漢大學出版社，1998：67.

指代詞的 2.99 %。"這邊"在明代其他文獻中也比較常見，其功能已經接近現代漢語了。

《型世言》中"這邊"的主要用法如下：

1.作主語。

（1）單用，作主語，如：

①這邊救滅火，查點人時，卻不見了這個小孩子。（第 1 回）

②這邊正如此往來，那廂陳東便也心疑怕他與南人合圖謀害，也著人來請降，胡總制都應了。（第 7 回）

③這邊就開口道："小的在富爾穀門前，只見這小廝哭了在前邊跑，姚居仁弟兄後邊趕，趕到裏邊，只聽得爭鬧半餉，道打死了人。"（第 13 回）

④這邊三個女子、六口刀，那邊一個將官、一枝槍。（第 39 回）

（2）與前面的代詞"你、我、他"等一起作主語，如：

⑤劉氏聽得居仁與富爾穀小廝爭嚷，道："官人，你既為好招銀子，我這邊將些首飾當與他罷。"（第 13 回）

⑥田副使道："妙，妙。但我這邊叫他不要救援，難保不為陰助。這須以術駕馭他才妙。"（第 24 回）

⑦我這邊還要拘兩鄰審。（第 26 回）

⑧他這邊哭得忙，竟也不曾招接，撲個空散了。（第 33 回）

⑨縣尊道："論理他是禮聘，你這邊私情，還該斷與朱安國才是。"（第 25 回）

2.作賓語或介詞賓語，如：

⑩是我家老不死、老現世阿公，七老八十，還活在這邊。（第 3 回）

⑪陸兄，既來之，則安之。豈有冷落他在這邊之理？（第11回）

⑫李先生，再要與你在這邊講些天話，也不能勾了。（第12回）

⑬兄你看，如今在這邊做官的，不曉政事，一味要錢的……（第14回）

⑭如今便同相公去贖祖房，他一時尚未得出屋，主母且暫到這邊住下。（第15回）

⑮也不曾問這邊肯不肯，便道："替你合做了，你管女家，我管男家。"（第16回）

⑯平日在我家穿進穿出，路徑都熟，昨日又來這邊攛掇我們穿戴，曉得我們沒人，做這手腳。（第36回）

⑰你不肯回去，可就在這邊開一個酒店兒罷。（第37回）

在《型世言》中，"這邊"作賓語的例子不是太多，如例⑯，而"這邊"作介詞賓語的用法卻比較多，如例⑪—例⑫等。

3.作定語，如：

⑱這邊裏遞也要調停，不然動了飛呈，又是一番事了。（第2回）

⑲田州原與泗城州接界，兩處土目因爭界廝打，把這邊土目打傷了。（第24回）

⑳再得二三百兩買囑這邊鄰里，可以勝他。這是一著。（第27回）

㉑陳副使道："有兩個光棍，手持公祖這邊假牌……"（第27回）

㉒知府道："你是我這邊書手麼？昨日金冠是那裏來的？"

（第 36 回）

4.作狀語。只此 1 例，如：

㉓那些和尚又在那邊道："詳簽這邊來，寫疏這邊來。"（第 10 回）

從此例中可以看出："這邊"在這裏有指別的功能，但是"這邊"與"那邊"表近指還是遠指並無十分明確的分工。

5.作補語。全書只此 1 例，如：

㉔又回想道："我死這邊，相信的道我必定死國，那相忌的，還或者道我降夷，皂白不分，還要死個爽快。"（第 17 回）

6."這邊"有時與"那邊"配合使用，表示虛指。如：

㉕要去求這些丫鬟教道，這邊說去，那邊不曉；那邊說來，這邊不明，整治的再不得中意。（第 14 回）

㉖卻又古怪，那邊馬嘶，這邊馬也嘶起來，又掩他的口不住，急得個沒法，喜是那邊轎子也不知道。（第 17 回）

㉗這邊順風，那邊順水，已離了半裏多路。（第 20 回）

（六）這裏

近指代詞"這裏"由"這"和方位詞"裏"組合而成。它早在唐代的文獻中就已經出現了。其最初形式有"這裏"、"者裏"等，《古尊宿語要》中有這麼個例子 —— 師雲："到老僧這裏覓個什麼，速禮三拜！"[14]。宋元以後，其形式漸漸統一爲"這裏"。在《型世言》中，"這裏"的用例共出現 86 次，占全部近指代詞的 2.45 ％。其主要用法如下：

---

14 盧烈紅.《古尊宿語要》代詞助詞研究[M]. 武漢：武漢大學出版社，1998：67.

1.作主語。

（1）單用，直接作主語。如：

①門上道："這裏不准口訴，口裏拜帖兒是行不通的。"（第9回）

②這裏想有三分銀子，明日回話後，再找一分。（第26回）

③這裏有個種菜的聾道人，你帶了他去罷。"（第35回）

（2）與前面的代詞"我、咱"等一起作主語。這種情形最爲常見。如：

④老親娘道："大吉，是好簽了。我這裏也求得一簽上上。"（第10回）

⑤咱這裏都這般走得路，你那纏得尖尖的甚麼樣？快解去了。（第14回）

⑥總督道："這等明日你可著他到東山口，我這裏用計擒他。"（第17回）

⑦陳代巡也想一想，附耳道："我這裏要參無錫何知縣。"（第30回）

⑧禦史道："若果忤逆，我這裏正法，該死的了，你靠誰人養老？"（第35回）

⑨我這裏有絕妙沁藥，沁上去一個個膿幹血止，三日就褪下瘡瘢，依然如故。（第38回）

在《型世言》中，"我這裏"共出現15例。其中作主語的有13例，另有2例作介詞賓語。

2.單用或與其前面的代詞一起作賓語。如：

⑩表兄，小弟王喜在這裏。（第9回）

⑪請慧哥！薑相公眾位在這裏！（第11回）

⑫那大管家嘗催租到我這裏，我替你說。（第 19 回）

⑬這印明明在我這裏，他將印匣與我，我又不好當面開看。（第 30 回）

⑭如今玉帶在你這裏，要你們還人，還要這些贓物。（第 32 回）

例⑩—例⑪中的"這裏"單獨作動詞"在"的賓語。例⑫—例⑭中的"這裏"與人稱代詞一起作賓語。

3.單用，作狀語：

⑮那寡婦便笑吟吟道："茶不是這裏討的。"（第 5 回）

⑯你這婦人，只好在家中狠，打公罵婆，這裏狠不出的，有錢可將出來，座頭可將我們舊例與他說。（第 5 回）

⑰兄胡亂用一用罷。這裏寓居，要換不便。（第 26 回）

⑱故此我夫婦不快，蘭馨這裏哭。（第 28 回）

4."這裏"有時也作定語，但用例極少，書中僅此 1 例。如：

⑲公子還吃得你們這裏的泉水好，要兩瓶。（第 29 回）

（七）這番

"這番"一詞，至少在明代就已經流行了。在《警世通言》中，"這番"共出現 8 例。它在《型世言》中還有另一個書寫形式"這翻"，其用法與"這番"大致相同。"這番"（含"這翻"）在《型世言》中共出現 41 例，占全部近指代詞的 1.17%。其主要用法有：

1.作狀語，表情形。這種用法最為常見。如：

①這番得胡總制書，便與王翠翹開讀道："君雄才偉略……"（第 7 回）

②這番姜、陸兩人與各同年，都贊他不爲色欲動心，又知他前日這段陰德。（第 11 回）

③柏清江這番也流水趕起來，道：“有這有這等事？去去去！”（第 21 回）

④這番衙門裏傳一個張繼良討得差，討得承行，有一個好差，一紙好狀子……（第 30 回）

⑤這番熊漢江夫妻著急，蔣日休卻暗暗稱奇。（第 38 回）

2.作定語。用例不多。如：

⑥沈實吃了這番搶白，待不言語，捨不得當日與家主做下鐵筒家私等閒壞了。（第 15 回）

⑦縣尊我與妹夫都拜門生，不知收了我們多少禮，也該爲我們出這番力，且待此禿來動手。（第 26 回）

⑧但是錢公佈這番心，一來是哄陳副使，希圖固館，二來……（第 27 回）

“這番”有時也作“這翻”，全書共 6 例，主要用作狀語，如：

⑨誰料這婦人道盛氏怪他做生意手松，他這翻故意做一個死，一注生意，添銀的決要添，饒酒的決不肯饒。（第 3 回）

⑩這翻把妙珍做個媒頭，嘗到人家說：“我院裏有一個孝女……”（第 4 回）

⑪這翻相見，見他生得濟楚可愛，便也動心，特意買了些花粉膝褲等物送他。（第 6 回）

⑫這翻來湖州，叫做道睿，號穎如，投了個鄉紳作護法，在那村裏譚經說法。（第 28 回）

⑬只見原先因膿血完，瘡靨乾燥，這翻得湯一潤，都趨起靨

來。（第 28 回）

（八）這廂

在近代漢語中，"這廂"是個新近出現的指示代詞。在明代的《警世通言》中，它還未見一例，這可能與《警世通言》的作者用詞比較文雅有關，但《紅樓夢》中也未見一例。而"這壁廂[15]"早在元代就有用例出現了，《漢語大詞典》認爲"這廂"是"這壁廂"的省略用法。但也有人不同意此觀點。《型世言》中的"這廂"共有 36 例，占全部近指代詞的 1.02 %。其用法如下：

1.常用在句首作狀語，主要用作語段轉換中提起下文之詞。如：

①這廂馬後送了建文君，便回入宮中，將當時在側邊見聞的宮人盡驅入宮，閉了宮門，四下裏放起火來。（第 8 回）

②這廂滿璘已是來了，擺了幾對執事，打了把傘……走到堡裏。（第 17 回）

③這廂徐遊擊暗暗差人，將這九人擒下，解入軍門，歷數他倡亂凌辱大臣罪狀，綁出梟首就將首級傳至教場。（第 22 回）

④黃筍見了，倒滾轉逃去了。這廂田副使又驅兵殺進。（第 24 回）

⑤這廂吳爾輝自得了執照，料得穩如磐石，只是家中嫗人不大本分……（第 26 回）

⑥這廂太祖與陳友諒相持，舟湊了淺，一時行不得，被漢兵

---

15 馬致遠《漢宮秋》第二折"那壁廂鎖樹的怕彎著手，這壁廂攀欄的怕攧破了頭。"見羅竹風.漢語大詞典：卷十[M].上海：上海辭書出版社，1992：920.

圍住。（第 34 回）

⑦只見這廂馮外郎早堂竟桌府尊道："前日盜贓已蒙老爺判價八十兩……"（第 36 回）

⑧這廂水中也煙霧騰騰，波濤滾滾，殺出三個女將，恰有一陣奇兵：白蛤爲前隊，黃蜆作左沖。……（第 39 回）

從上述 8 例中可以看出，"這廂"的用例在書中的分布比較均衡。

2.作賓語或介詞賓語，相當於"這裏"。這是《型世言》中"這廂"的第二種常見用法，如：

⑨……要往南京去投親，天晚求在這廂胡亂借宿一宵。"（第 1 回）

⑩虔婆急了，來見道："二位在我這廂，真是有屈，只是皇帝發到這廂……（第 1 回）

⑪不然老死在這廂，誰人與你說清！（第 1 回）

⑫近在這廂，師弟也該隨喜一隨喜。（第 4 回）

⑬這番轎子來，咱們只向這廂躲。（第 17 回）

⑭遠岫道："來瞧你，你這小沒廉恥！你道外邊歇，怎在這廂？"（第 39 回）

3."這廂"偶爾也作定語，如：

⑮下官誤蒙國恩，參軍邊衛，止吃得這廂一口水，喜得軍民畏伏。（第 9 回）

⑯只叫這廂田產歸我，嫂子嫁人。（第 37 回）

4.直接作主語的僅見 1 例，如：

⑰這廂有幾個妓者，我和兄去看一看，何如？（第 37 回）

5."這廂"有時也緊跟名詞後面，表複指。如：

⑱二郎道："罷,你回去反有口舌,不如在我家這廂安靜。"（第 3 回）

⑲仲含這廂怕芳卿又來纏,托母老抱病,家中無人,不便省親,要辭館回家。（第 11 回）

⑳幸得相公這廂看取,著人請他,他妻喜有個出頭日子,他卻思量揚州另娶,將他賣了與人。（第 31 回）

（九）這幹

"這幹"一詞,比較少見。在《型世言》中共有 29 例,占全部近指代詞的 0.83％。

1.單用,作主語,相當於"這些（人）"。如:

①高秀才便歎息道："這幹都是忠臣,殺他一身夠了……（第 1 回）

②這幹又道："不承抬舉！"（第 6 回）

2.單用,作賓語,相當於"這些（人）"。如:

③前日主人被這幹哄誘,家私蕩盡,我道他已回心,誰知卻又不改。（第 15 回）

3.作定語,相當於"這些"。該用法相對多一些。如:

④只見成祖因見累年戰爭,止得北平一城,今喜濟南城降,得了一個要害地方,又得這幹文武官吏兵民……（第 1 回）

⑤成祖幾乎不保,那進得甕城這幹將士,已自都死在坑內了。（第 1 回）

⑥不惟女侍們尊重了王夫人,連這幹頭目們那個不曉得王夫人？（第 7 回）

（十）這廝

"這廝"是至少在元明時期就已經比較流行的一個詞。《水滸傳》第二回中就有這麼一個句子 —— 魯達道："問甚麼！但有，只顧賣來，一發算錢還你！這廝！只顧來聒噪！"。"這廝"在《型世言》中共有 8 例，占全部近指代詞的 0.23 %。其用法如下：

1.主要作主語，全書中共有 5 個例子，如：

①燕王爺聽了大怒，道："這廝們妄自矜誇，椎碎了！"（第8回）

②朱愷道："這廝無狀，你傷我兩個罷，怎又傷他母親？"（第22回）

③鮑雷道："可耐阮大這廝欺人，我花小官且是好，我去說親，他竟不應承；列位去送，也不留吃這一鐘……"（第33回）

例①—例③中，"這廝"作主語，其中例①後還有詞尾"們"，這也是《型世言》中僅有的 1 例，實爲罕見；例③中的"這廝"和"阮大"構成複指關係，兩者複合構成句子的主語。

2.有時也作賓語，全書中共有 3 個例子，如：

④只見左邊道："嗟！怎見勝負難料？先砍這廝。"（第7回）

⑤左首的聽了道："且饒這廝。"（第7回）

在例④—例⑤中，"這廝"作動詞賓語。

另外，我們從這 8 個例子[16]中看出，"這廝"的使用者分別

---

16 另外 3 例：1.（錢公佈道）："……只因他爹娘沒眼，把來嫁了這廝，帽也不戴一頂，穿了一領油膩的布衫……成甚模樣？"（第 27 回）2.錢公佈道："這廝這樣可惡。"（第27回）3.詹博古辭了，心裏想："這廝央我估做假的，豈有與他八十之理？……"（第32回）

是：燕王朱棣、朱愷（街頭小混混）、鮑雷（惡棍）、起義士兵、
王翠翹（名妓）、錢公佈（私塾先生，2例），詹博古（捐客）。
由此可見，"這廝"是明代一個非常流行的口頭語詞，三教九流，
上至王爺，下到百姓，都在使用。而從其使用的語境來看，其貶
義性是很明顯的，相當於現代漢語中的"這傢伙"。

（十一）這般

　　"這般"作爲指示代詞，在《古尊宿語要》中就有用例了
──師雲："石頭老坐不定，把不住。似這般擔板漢，教去便
休……"[17]。"這般"雖然歷史比較久遠，但它的地位在南方話
系中衰退得比較厲害，在《金瓶梅詞話》中還有202例，但在《型
世言》中總共只有6例，占全部近指代詞的0.17%。可見這個詞
已經基本上爲近代漢語所淘汰了。它在《型世言》中主要用作狀
語（共5例），其次是作定語（1例）。如：

　　①王喜道："不是這般說，我若被他算計了，你兩個也靠我
不得……"（第9回）

　　②雖是這般說，小生辱脫公有一日之知，當爲效力。（第14
回）

　　③"咱這裏都這般走得路，你那纏得尖尖的甚麼樣？快解去
了。"（第14回）

　　④莫說不做工的時節如此，便是鄰家聚會吃酒，也只得這般
打扮。（第33回）

　　⑤良雲道："我也是這般說。……"（第37回）

17　盧烈紅.《古尊宿語要》代詞助詞研究[M]. 武漢：武漢大學出版社，1998：
　　68.

⑥奶奶道："這一定鬼怪了。你遇了仙女，這般模樣？"（第40回）

縱觀例①—例⑥，除了例⑥中的"這般"作定語外，其餘全作狀語。

（十二）這班

"這班"與"這般"的讀音相近，但用法迥異。部分吳方言地區（如常州）還保留該詞語音和用法。

《型世言》中"這班"共有6例，占全部近指代詞的0.17%。其用法是：放在名詞性成分之前，作定語，表複數，同"這些"。如：

①就是這班十弟兄，直吃到夜半……（第15回）

②至於兩人出外附學，束修、朋友交際、會文供給，這班寡婦都一力酬應。（第16回）

③自己騎了匹白馬，挺槍先行，這班馬驥、南斗一齊隨著。（第17回）

④因家中未曾娶妻，這班人便駕著他尋花問柳。（第23回）

⑤這班書辦曉得匣裏沒印，不敢拿文書過來用印。……（第30回）

⑥這班僧人道："怪道餓得，他一頓也吃了半個月食了，只當餓得半月。"（第34回）

例④—例⑤中的"這班"略帶貶義。

（十三）此

"此"是與"是、茲、斯、彼"等同屬於上古常用的指示代詞。《詩經》以後的著作中使用較多,如《左傳》、《公羊傳》、《谷梁傳》、《孟子》都大量用"此"作指代詞。[18]但是《論語》中檢索不到"此"的用法,是最初的版本沒有"此"的用法,還是《論語》在傳抄過程中造成的缺失,就不得而知了。發展到近代漢語,"此"既可以用於白話文、也可以用於文言文,比較穩定。"此"與"這"同時並用,但因為"此"從古漢語繼承而來,不免帶有生硬的語感,逐漸跟口語不相適應,唐宋時的"此+量詞(個)+名詞"的結構最終敵不過"這"的結構,也就隨之淘汰了。[19]

"此"在"12種敦煌變文"中有207個用例[20],"此"在《水滸傳》中有1459個用例[21]。

《型世言》中的"此"共出現了710例,占全部近指代詞的20.20%。其主要用法如下:

1.作主語,這類例子不多。如:

①又有一個賣青果男子,忽然肚大似懷娠般,後邊就坐蓐,生一小兒,此乃是男人做了女事的先兆。(第37回)

②适才所雲妖氣,正在此上。此豈是令堂老夫人之物?(第40回)

2.作賓語或介詞賓語。這種用法比較常見。如:

③高秀才道:"流落之人,無意及此。"(第1回)

---

18 楊伯峻,何樂士. 古漢語語法及其發展[M]. 北京:語文出版社,1992:143.

19 香阪順一.《水滸》辭彙研究(虛詞部分)[M]. 北京:文津出版社,1992:21-22.

20 吳福祥. 敦煌變文的近指代詞[J]. 語文研究,1996(3):30-36.

21 曹煒等.《水滸傳》虛詞計量研究[M]. 廣州:暨南大學出版社,2009:235.

④今令弟寄跡山陽，年已長成，固執要往海南探祖父母，歸時于此相會……（第 1 回）

⑤以此誓死報親仇的，已是吃了許多苦，那沒用的，被旁人掇哄，也便把父母換錢，得他些銀子，也了帳。（第 2 回）

⑥今丞相統大兵至此，正缺參謀，是天賜先生助我丞相。（第 14 回）

⑦臨去與他這布袋作贈，道："我已是病了，以此相贈，待我病好再會。"（第 38 回）

⑧帖木兒道："小生浙東達魯花赤之子，尚未有親。因催租至此，可雲奇遇。"（第 40 回）

例③、例⑥、例⑧中的"此"作賓語，而例④、例⑤、例⑦中的"此"作介詞賓語。

在作介詞賓語的"此"的用例中，我們發現，作爲固定組合的"自此"、"從此"等是比較常見的。這至少說明了一點：作爲口語中經常使用的"此"在明代已基本上取代了上古漢語近指代詞"是"、"茲"、"斯"等的地位。而在這一演化過程中，"自此"共有 21 例，而"從此"也有 13 例。這說明現代漢語中通用的"從此"也是歷史的選擇。

3.作定語。

（1）直接作定語，如：

⑨不料其年高賢甯父死丁憂，此事遂已。（第 1 回）

⑩這是那漢子見這客人買貨時，把銀子放在靴內，故設此局。（第 5 回）

⑪老三道："豈有此理！難道是真的？"（第 9 回）

⑫去時恰好有人還他本銀四十兩，把四個尺頭作利錢，我一

談起，他便將此宗付我。（第 13 回）

⑬此後二十五年，當差人望你。（第 34 回）

⑭上天以災異示人，此隆慶年間，有李良雨一事。（第 37 回）

⑮蔣日休喜得不要，道："有此效驗！"（第 38 回）

"豈有此理"在《型世言》中共有 4 處，"此"在這裏作定語。"豈有此理"很有可能是從明代才開始出現的，我們通過對《警世通言》和《紅樓夢》（程乙本）的考察，發現這兩個本子裏各有兩例"豈有此理"，這兩個本子的字數與《型世言》都差不多，這說明在《型世言》中的口語成分的確比較多一點。

（2）與數詞、量詞或數量短語結合，作定語，一起修飾名詞性成分。

⑯大慈道："檀越說救夜叉之患的，便是此位菩薩麼？敝寺原是文登縣地界。"（第 9 回）

⑰臣天眼尊者侍者，半年前周顛仙與臣師天眼尊者同在廣西竹林寺，道紫微大帝有難，出此一函，著臣齎捧到京投獻。（第 34 回）

⑱你病不在膏肓，卻也非庸醫治得。你只將此一束草煎湯飲，可以脫然病癒。（第 38 回）

像例⑰—例⑱這種"此+數詞+量詞"的句法結構在現代漢語中已找不到用例了。

4.置於謂詞性成分之前作狀語，表示事物的樣態。如：

⑲哥哥，我雖虧你苟全，但不知我父親、祖父母、兄姐此去何如？（第 1 回）

⑳程道者道："此行專為師父。"（第 8 回）

㉑王孟端不肯收,龔伯璲道: "公此去灤州,也是客邊,怕資用不足,不妨收過。"(第14回)

㉒太祖心焦,著人來問,周顛道: "此行去幾時得遇順風?"(第34回)

㉓此去當努力精進,以成正果。(第35回)

㉔陳禦史道: "學生此來專意請教。……"(第40回)

總的看來, "此"作定語的現象比較多,其次是作賓語,再次是作介詞賓語。

在這裏,我們發現這樣一個有趣的事實,有很多的現代漢語中使用的含有 "此"的詞語已經在本書中出現了,如:如此(59例)、故此(85例)、似此(30例)、此時(130例)、彼此(20例)、在此(62例)。其中的 "彼此"、"在此"、"如此"至今還在現代漢語中廣泛使用。詳見表4。

表4 含 "此"的雙音節詞的頒佈及其所占百分比

詞 項	如此	故此	似此	此時	彼此	在此	從此	自此	此
用 例	59	85	30	130	20	62	13	21	710
百分比	8.31	11.97	4.23	18.31	2.82	8.73	1.83	2.96	100%

(十四) 是

"是"是一個比較古老的指示代詞,與 "斯"、"此"並稱為先秦三大指示代詞。但它也和其他先秦指代詞一樣,因長期脫離口語而逐漸不為時代所歡迎了。《型世言》中的 "是"比較多,但作代詞的 "是"只有9例,占全部近指代詞的 0.26 %。其主要用法如下:

1.作主語或賓語。如:

①識者猶以孟端有才未盡用，不得如劉伯溫共成大業，是所深恨。（第 14 回）

②簡勝三日之婚，愛固不深，仇亦甚淺。招曰酒狂，何狂之至是也？（第 21 回）

2.作定語。如：

③真個是有是父、有是子。（第 1 回）

④小的家裏三月間，原死一個奶子，是時病死的。（第 21 回）

⑤是夜，也不知是海神有靈，也不知是上天降鑒，先是海口的人聽得波濤奮擊，如軍馬驟馳；風雷震盪，似戰鼓大起，倏忽而去。（第 39 回）

本節小結：指示代詞在向近指、遠指分化的過程中，有時兩者的界限不太明晰

從上述對"這"、"這些"等代詞的考察中可以看出：近指代詞有時也可以表達遠指的意義。盧烈紅認爲：漢語用近指多而遠指少 —— 近指代詞成員眾多，使用頻率遠高於遠指代詞[22]。我們是否可以據此進一步推斷：由於近指代詞多而遠指代詞少，近代漢語中，人們有時用近指代詞來稱代表遠指含義的事物呢？

第二節　遠指指示代詞

遠指代詞是指示和稱代空間上、時間上或心理上較遠的對象

---

22 盧烈紅.《古尊宿語要》代詞助詞研究[M]. 武漢：武漢大學出版社，1998：65.

的代詞。上古的遠指代詞有"其、彼、匪、夫"4 個，六朝時期就出現了"那"，到了唐代，"那"構成了複合詞"那邊、那個、那裏"，宋代又有"那般、那樣"等。近代漢語繼續發展，又產生了"那廂、那麼"等新詞。總的說來，遠指代詞在數量上沒有近指代詞多。

與前面的近指代詞相比，《型世言》中的遠指代詞在用例上要少得多：近指代詞總共出現 3515 次，其中"這"出現 1948 次；而遠指代詞總共才出現 855 次，其中"那"出現 665 次。從使用頻率上看，"這"字系列的指示代詞占近指代詞的 79.54%，而"那"字系列的指示代詞占遠指代詞的 97.89%，幾乎是"那"字一統天下。《型世言》中的遠指代詞有"那、那邊、那廂、那些、那裏、那廝、彼"等 7 個。其詳細分佈情況見表 5。

表 5　遠指指示代詞分佈及其所占百分比

詞　項	那	那邊	那廂	那些	那裏	那廝	彼
次　數	665	90	41	20	18	3	10
百分比	75.81	10.62	4.84	2.36	2.12	0.35	1.18

（一）那

"那"是近代漢語中新近出現的一個遠指指示代詞。最早可能在初唐就已經出現了，只作定語，如《朝野僉載》："必是那狗"。[23]

關於其來源，一般認為可能是"爾"或"若"。

20 世紀初，章人炎在《新方言》中解釋"那"是"若"的

23 高名凱. 漢語語法論[M]. 北京：商務印書館，1986：118.

音之轉。到了20世紀20年代，唐鉞提出：可以假定"那"即"爾"的音變。[24]高名凱在1957年認爲，《廣韻》中的"爾"作"兒氏切"、"若"作"而灼切"，古音"泥、日"通轉最常見，所以"爾、若"是同一來源，"那"是從"爾、若"出來的[25]。但與此同時，王力認爲來自"爾"，因爲上古指示代詞"爾"用途較廣，歷史較長，這樣就和"那"接得上了[26]。但是呂叔湘先生認爲，如果從語音上考察，"若"變成"那"是很有可能的。[27]

"那"在晚唐五代以後大量出現，先側重指示，宋代以後偶爾可見到用於稱代的例子，並且開始作主語。《敦煌變文集》和《祖堂集》中，是"彼"多"那"少；到了《古尊宿語要》、《朱子語類輯略》時，情況發生了轉化，"那"多"彼"少；到明代《水滸傳》中的"那"有3574例，全部用作定語，其中"那"作遠指代詞的比重達81.17%，數量上占絕對優勢。[28]詳見表6。

表6 "彼"消"那"長的歷時演化分佈

書名 數量	敦煌變文集	祖堂集	朱子語類輯略	古尊宿語要	水滸傳
那	12	57	269	48	3574
彼	43	120	27	2	65

在《型世言》中，作爲遠指代詞的"那"有665例，占全部遠指代詞的78.51%，主要用來作定語、賓語，另外還能表虛指。

24 唐鉞. 國故新探·白話字音考源[M]. 北京：商務印書館，1926. 轉引自馮春田. 近代漢語語法研究[M]. 濟南：山東教育出版社，2000：118.

25 高名凱. 漢語語法論[M]. 北京：商務印書館，1986：119.

26 王力. 漢語史稿[M]. 北京：中華書局，1980：330.

27 呂叔湘，江藍生. 近代漢語指代詞[M]. 上海：學林出版社，1985：186.

28 曹煒等.《水滸傳》虛詞計量研究[M]. 廣州：暨南大學出版社，2009：237.

1.作定語。

（1）"那"直接作定語。

①只見那鐵仲名受了道："我受此榮封，也是天恩。但我老朽不能報國，若你能不負朝廷，我享此封誥也是不愧的。"（第1回）

②那老兒回來，就暖了那瓶酒，拿了兩碟醃蔥醃蘿葡，放在桌上，也就來同坐了。（第1回）

③你請我一個東道，我叫去了那沈實，用你。（第15回）

④或是世建不成人，忤逆不肖，不能容你。那時人老花殘，真是遲了。（第16回）

⑤那強盜又各處使錢，反說他貪功生事。（第16回）

⑥三府道："那兩鄰仔麼說？"（第26回）

⑦花芳道："一嫂，那不做的倒越有得吃哩！"（第33回）

"那"有時也修飾複數名詞性成分，如：

⑧那兩個見已是到手銀子，便憑他兌。（第22回）

⑨那兩人道："小人是本府刑廳，有事來見二位相公。"（第27回）

⑩再把那兩個丫鬟送我，我就在這裏還俗。（第28回）

由上可知，作定語的"那"一般放在句首的比較多，也有少數放在句子中間的，修飾名詞性成分，其中有人名（如例①、例③），有表示事物的名詞（如例②、例⑤），也有"的"字短語（如例⑦），處所詞（如例⑥）。還有少數例子中"那"詞放在句了中間，修飾名詞性成分，如：

（2）"那"與量詞結合在一起，構成指量短語，或與數量短語結合，作定語。不過這種用法在全書中比較少。如：

⑪恐怕他又去別處告，若上和下睦做，上邊央了分上，下邊也與洪三十六講了，討出了那張服辨，買了硬證，說他自因夫妻爭毆身死，招了誣，可也得千余金。（第 27 回）

⑫這番他把那一團奸詐藏在標緻顏色裏邊，一段兇惡藏在溫和體度裏面。（第 30 回）

2. "那"與數量詞結合，作句子的賓語。用例較少。如：

⑬有那一干，或是寡婦獨守空房，難熬清冷，或是妾媵，丈夫寵多，或是商賈之婦，或是老夫之妻，平日不曾縶足，他的欲心形之怨歎，便爲奸尼乘機得入。（第 28 回）

3. "那"表虛指。見例⑭。

⑭今日這家拿出茶來，明日那家拿出點心來。（第 3 回）

雖然這類例子不多，但是這可以視作"這"與"那"對舉表虛指意義的延續。因爲在唐宋時期，就開始出現其表虛指意義的例子[29]。在清代的《兒女英雄傳》[30]中，此類例子也較常見。

（二）那邊

在《型世言》中，"那邊"是"那"字系列中使用頻率僅次於"那"的一個詞。"那邊"最早出現在晚唐五代的文獻中，其出現的時間略晚於"那裏"。但到了明代，該詞在《型世言》中使用的頻率大大超過了作爲遠指代詞的"那裏"。

遠指代詞"那邊"在《型世言》中共有 90 例，占全部遠指代詞的 10.62%。其主要用法如下：

1.作主語。

29 呂叔湘，江藍生. 近代漢語指代詞[M]. 上海：學林出版社，1985：191.
30 譚芳芳.《兒女英雄傳》代詞計量研究[D]. 蘇州大學文學院，2010：98.

（1）單用，作主語，如：

①那邊程編修竟奔到興隆寺，尋了主僧溥洽，叫他帶了幾件僧行衣服，同入大內，與建文君落了髮，更了衣。（第 8 回）

②這邊建文君入宮，那邊程道者已同胡僧去了。（第 8 回）

③張士誠差李伯升領兵攻城，那邊百計攻打，他多方備禦，李左丞親來救應，李伯升又是大敗。（第 14 回）

④那邊吳氏怕李氏年小，不肯守，又蕭季澤遺命，叫他出嫁……（第 16 回）

（2）與其他詞聯合作主語，如：

⑤這等，明日陳爺那邊去領賞罷。（第 27 回）

2.作賓語，表示處所。

（1）單獨作賓語，如：

⑥次早，差人到得橋邊，只見三個已在那邊，就同到縣中。（第 26 回）

（2）作介詞賓語，如：

⑦朱安國道："只是如今被我阿叔占在那邊，要你去一認。"（第 25 回）

⑧吳爾輝正穿得齊齊整整的，站在那邊等王秀才。[31]（第 26 回）

⑨王尼卻在那邊逼了十兩銀子，又到張家誇上許多功。（第 28 回）

---

31 《型世言》中，"站"字出現 19 例，其中"站在"有 11 例。由此可以看出"站"字登上了歷史舞臺，可能是受到元代蒙古統治的影響而造成的。外來詞語進入漢語已非新鮮事，"葡萄、琵琶"等詞語就是漢民族在與西域的文化交流過程中被吸收入漢語的。

⑩一會竹秀去，他見無人，正在那邊念經，見了竹秀，笑嘻嘻趕來，一把抱定。（第 28 回）

⑪後邊陳副使誤認了兒子通，也曾大會親友面課，自在那邊看做，錢公佈卻令小廝，將文字粘在茶杯下送與他，照本謄錄。（第 27 回）

⑫吃了個媽媽風回去。擇日去到那邊說，鄭家道他窮……（第 19 回）

例⑦—例⑧中，介賓短語"在那邊"分別作"占"和"站"的補語，而例⑨—例⑫中，介賓短語"在那邊"和"到那邊"均作狀語。

3.作狀語。如：

⑬婦人道："怎同來，他又不到？你說明日那邊尋，是那邊？"。（第 26 回）

《型世言》中還有個遠指代詞"那壁"[32]，功能同"那邊"，共有 5 例。如：

⑭那壁汪涵宇懊惱無及，託病酒預先將息，睡了半日。（第 6 回）

⑮直到窮穀之中，只見一個人一堆兒燒死在那壁，看來不是別人，正是介子推。（第 8 回）

⑯項員外驚醒，擦擦眼，卻見那壁樹根口一個青布包，拿來看時，卻是些棋炒肉脯。（第 17 回）

⑰臨後到孫監生家，被我一哄，也到十二兩了。留在那壁，

---

32 其實"那壁"早在元代就出現了，如元代石子章的《竹塢聽琴》楔子"後來他那壁生了個孩兒，喚作秦修然。"見羅竹風. 漢語大詞典：卷十[M]. 上海：上海辭書出版社，1992：602.

候相公分付。（第 32 回）

⑱轉過山岩，到一洞口，卻見一物睡在那壁：一身瑩似雪，四爪利如錐。（第 38 回）

"那壁"在例⑭中作主語，在例⑮、例⑰、例⑱中作補語，在例⑯中作定語。

（三）那廂

"那廂"作爲遠指代詞，出現得比較晚，但"那廂"至少在元代就已經有用例了，如"當初那巫山遠隔如天樣，聽說罷又在巫山那廂"[33]。但在成書于明代萬曆年間《金瓶梅詞話》中也未見一例[34]；《警世通言》中也未見一例；到了《紅樓夢》中才有一例出現，而現在吳方言等地區還在使用。所以，可以推測出這個詞是一個在近代漢語演化進程中未能進入官話的一個詞語。故《型世言》很有可能是"那廂"出現比較早的文獻之一。可能開始比較流行，但後來只保存在某些方言區。

遠指代詞"那廂"在《型世言》中共有 41 例，占全部遠指代詞的 4.84%，其主要用法如下：

1.作主語。如：

①這邊正如此往來，那廂陳東便也心疑怕他與南人合圖謀害，也著人來請降，胡總制都應了。（第 7 回）

②這邊爲鼎起上許多口面，那廂任天挺到虧了這鼎，脫得這幾兩銀子，果然六兩銀子取了個一等，到道裏取了一名遺才。（第

---

33 王實甫，《西廂記》第一本第二折，見羅竹風. 漢語大詞典：卷十[M]. 上海：上海辭書出版社，1992：600.
34 曹煒.《金瓶梅詞話》虛詞計量研究[M]. 廣州：暨南大學出版社，2011：58.

32 回）

③正行時，那廂滿四道："不要把他近山，先與他一個手段。"（第 17 回）

④那廂徐公子回去，果然把這椿事說與徐州同。（第 29 回）

2.作狀語。往往是與介詞"在"結合，組成介賓短語作狀語。這是絕大多數"那廂"的用法。如：

⑤及到國破君亡，解學士著人來看胡學士光景，只見胡學士在那廂問："曾餵豬麼？"（第 1 回）

⑥故意在那廂唱些私情的歌曲，希圖動他。（第 6 回）

⑦自此之後，只是盡心在那廂教書。（第 11 回）

⑧若使當日沒有沈實在那廂經營，沈剛便一敗不振；後邊若非他杜絕匪人，安知不又敗？（第 15 回）

⑨恰是沈氏抱著兒子吃乳，張秀才搭著肩頭在那廂逗他耍。（第 28 回）

⑩後邊又聽得蚌珠在夏尚書那廂求有一詩，道："妖蛟莫相攖"。（第 39 回）

例⑩中，"那廂"與"夏尚書"組成同位語短語，作介詞"在"的賓語。這種情形並不多見。

3.作補語。往往是與介詞"到"結合，組成介賓短語作補語。如：

⑪怎老畜生！你妨賢病國，阻塞言路，把一個言官弄到那廂，還放他不過。（第 20 回）

（四）那些

作為遠指代詞的"那些"在《警世通言》中有 22 例，到了《紅樓夢》[35]中就更多了。所以《型世言》也是近指的代詞"那些"出現得較早的一批文獻之一。

在《型世言》中，遠指代詞"那些"共有 20 例，占全部遠指代詞的 2.36%。全用作定語，如：

①到那些少年輕薄的，不免把言語勾搭他，做出風月態度慌他，乍聽得與乍見時，也有個嗔怪的意思，漸漸習熟，也便科牙撩嘴。（第 6 回）

②若是那些蠢東西，止會得酤酒行房，舍了這三五錢銀子，吃酒時摟抱，要歌要唱，摸手摸腳。（第 7 回）

③煙焰四合，那些深山中住的人與藏的野獸，那一個不趕出來？（第 8 回）

④那些在朝文武，也弄得"巡撫叩頭如搗蒜，侍郎扯腿似燒蔥"，那一個不趨炎附勢？（第 12 回）

⑤那些妓者作嬌，這兩個幫閒吹木屑，轎馬船隻，都出在沈剛身上。（第 15 回）

（五）那裏

在《型世言》中，遠指代詞"那裏"共有 18 例，占全部遠指代詞的 2.12%，主要用法是作賓語，如：

1.作主語，如：

①自去求籤問婚姻之事，摸了個錢去討籤票時，那裏六七個和尚且是熟落，一頭扯，一頭念道：春日暖融融，鴛鴦浴水中。（第 10 回）

---

35 有 148 例。此《紅樓夢》（1-70 回）是 1982 年人民文學出版社版本。以《脂硯齋重評石頭記》（簡稱庚辰本）及程甲本精校之。

2.作賓語：

（1）單用，作動詞賓語，如：

②去見時，不料已先在那裏多時了。此是趨利。（第20回）

③王師姑："我也道這借銀事開不得口，他道你說不妨，道相公親筆的表章文牒都不曾燒，都在他那裏，叫相公想一想利害。"（第29回）

例②—例③中的"在"都是動詞，"那裏"作"在"的賓語。

這兩例是筆者在諸多例子中逐一篩選出來的，此類用例較少，可能也與"在"一詞的日益虛詞化有關。相反，在下文中，介詞"在"與"那裏"的結合倒是比較多。

（2）作介詞賓語。

A：比較常見的是用在"在"後面，組成介賓短語"在那裏"作狀語。如：

④恍惚夢見門前紅日銜山，止離山一尺有餘，自己似吃晚飯一般，拿著一碗莎米飯在那裏吃，又拿一碗肉汁去淘。（第9回）

⑤城裏李俊、張把腰都戰死，尚有火敬，他還在那裏要守。（第17回）

⑥倒在那裏替主人快活，替女子擔憂。（第20回）

⑦卜兆在那邊看一輛大車，幾個騾子在那裏吃料……（第22回）

⑧婦人聽了，忙叫轎夫，一個偏在那裏系草鞋帶，不來。（第26回）

⑨這兩個趕到，卻早代巡立在堂上，在那裏假慌。（第30回）

此類例子在文中不勝枚舉，其出現頻率很高。這說明"那裏"

作為一個指示代詞，在明代末年，其口語化程度已非常之高了。

B："在那裏"有時也可以充當補語成分：

⑩只見老少男女一齊趕來，早見王俊頭顱劈碎，死在血中，行兇刀插在身旁，王世名立在那裏……（第 2 回）

⑪女大須嫁。這時他好不快活在那裏，要你哭？（第 22 回）

⑫只見徐公子把門攔住，阿金與賈寡婦截定在那裏，驚得呆的一般。（第 29 回）

⑬只有一個龍紋鼎，我輸了孫監生賭錢，被他留在那裏，委是好個鼎。（第 32 回）

（六）那廝

"那廝"一詞與"這廝"相對，一般含有貶義色彩。在《警世通言》中出現了 22 次，在《型世言》中只出現了 3 次，而在《紅樓夢》中一次也未出現。[36]這裏我們可以清晰地看到這個詞逐漸被社會淘汰的脈絡。《型世言》中的例子如下：

①那廝不曉得遞甚箭，我笑道：'哥，性命恁不值錢？撞著一個了得的，幹幹被他送了。'（第 22 回）

②那廝老實道：'咱不曉得這道兒。嫂子嫌咱鎮日在家坐，教咱出來的。……'（第 22 回）

③不起那廝道：'他來，我怎生？'（第 22 回）

這三個例子中的"那廝"均作主語，而且是一段對話中連續出現的。這也說明了該詞在明代的口語中已經不多見了。

---

36 此《紅樓夢》（1-70 回）是 1982 年人民文學出版社版本。以《脂硯齋重評石頭記》（簡稱庚辰本）及程甲本精校之。

（七）彼

　　"彼"是個比較古老的遠指代詞，早在先秦就已經有了。到了近起彼伏代，它逐漸被表遠指的"那"取代。《型世言》中的遠指代詞"彼"有 10 例（"彼此"一詞不在收錄分析之列），占全部遠指代詞的 1.18%，主要有以下一些用法：

　　1.作動賓或介賓。如：

　　①官員在彼飲酒，門懸本官牙牌，尊卑相避，故院中多有官來，得知此事。（第 1 回）

　　②到後來，蕭季澤雖是兩下溫存，不免顧此失彼，吳氏絕不介意。（第 16 回）

　　③朱正道："上馬見路，況有人在彼，你可放心去。"（第 23 回）

　　④再不地連安南，可以逃至彼安身，官兵也無如何矣。（第 24 回）

　　⑤殺還有巧處，該這人頂差，或該他承應，他把沒帳差牌呈狀，踏在前面，僉與了他，便沒個又差又批的理，這就是奪此與彼的妙法。（第 30 回）

　　例①、例④中的"彼"作介詞"在"、"至"的賓語，而例②、例③、例⑤中的"彼"皆作謂語動詞的賓語。

　　2.作定語：

　　⑥我彼處曾有小館，還可安身。（第 1 回）

　　⑦彼時哥哥與富爾穀結紐在一處，緣何能打人？（第 12 回）

　　本節小結：明末時期，《型世言》中遠指代詞的雙音節詞特徵、方言性特徵明顯

1.《型世言》中單獨出現的"彼"只有10次，而"彼此"一詞的出現卻有20次，這從一個側面可以看出，近代漢語當時正在由單音節詞向雙音節詞的轉變。

2.其實，在《型世言》中，還有一些"那"與名詞性成分的組合日漸凝固。如《型世言》中的"那官"有17例，"那人"有38例，"那時"有22例，"那日"有16例[37]，這也表明"那"字的雙音節化日趨明顯。

3.從上面的分析中，我們可以看出："那"字及其派生代詞已經占據了遠指代詞的大半江山。而像"彼"之類的文言辭彙基本上已紛紛敗退，在人們的口語中已經看不到了。另外，本書中，"那番"、"那樣"、"那般"、"那等"、"那的"、"那咱"等在明代其他話本（如《金瓶梅詞話》）中出現的代詞則一例也未出現，也進一步證實了《型世言》這本書所體現的時代性特徵是其他文獻不可替代的。

第三節　兼指指示代詞

兼指代詞是指這類指代詞兼有近指和遠指兩種性質。馮春田稱之為"中性指示代詞"。這類兼指代詞大多指示方式、程度、情態以及動作情況，如唐五代的"能、異沒、與麼、伊麼"等，

---

37 我們來看書中的兩個例子：

1.那官道："借步到後堂有話。"張知縣只得請進後堂留茶。（第22回）

2.張知縣便一把扯了那官，道："我們堂上去收去。"（第22回）

宋代的"恁、恁地、恁麼"。[38]

　　《型世言》中的兼指指示代詞只有"恁"和"恁般"兩個，而且用例也不多，前者共 7 例，後者僅 2 例。

　　1.主要作狀語，修飾謂詞性成分。如：

　　①王良見了，不勝大怒，道："這畜生恁般欺人，怎見那半間是你的，你便自做主，況且又多尺餘，如今坍的要你造還。"（第 2 回）

　　②鄧氏……依舊拴了門進來，道："哥恁點點膽兒，要來偷婆娘？"（第 5 回）

　　③鄧氏道："去便去，只恁瑣碎，把人睡頭攪醒了。"（第 5 回）

　　④沈剛驚得木呆，道："恁憑你裏邊搜。"（第 15 回）

　　⑤那廝不曉得遞甚箭，我笑道：'哥，性命恁不值錢？撞著一個了得的，幹幹被他送了。'（第 22 回）

　　⑥那廝老實道："咱不曉得這道兒。嫂子嫌咱鎮日在家坐，教咱出來的。不利市，咱家去罷。"咱道："哥也是恁造化"。（第 22 回）

　　⑦禦史心裏便想道："他恁般一個小廝，怎做出這樣事來？"（第 35 回）

　　⑧那蔣日休道："這兩束草直恁靈驗，如今想該用第三束草了。"（第 38 回）

　　2.偶爾也作賓語：

　　⑨若只抄化，誆人錢財的，也還是上品，兄理他做恁？（第

38　馮春田. 近代漢語語法研究[M]. 濟南：山東教育出版社，2000：133.

8 回）

本節小結：《型世言》中的兼指指示代詞數量較少

《型世言》中的兼指指示代詞較少，其他作品（如《金瓶梅詞話》）中出現的"恁的、恁地、恁樣"等兼指指示代詞在《型世言》中一例也沒有出現。到了清代，《兒女英雄傳》中，兼指代詞"恁"已徹底消失了。[39]

結　論

一、"這""那"基本取代上古代詞

從上面的分析中我們可以看出，《型世言》中的近指代詞"這"字系列代詞共有 2798 例，占全部近指代詞的 79.54%，在近指代詞中占有絕對優勢；而"此"只有 710 例，僅占全部近指代詞的 20.20%；"那"字系列代詞共有 837 例，占全部遠指代詞的 98.82%，也遠比"彼"（共 10 例，占遠指代詞其總量的 1.18%）多得多。

可以說，到了明代末期，先秦時以"此"、"斯[40]"、"彼"、"其"等為代表的指示代詞已經基本為"這"、"那"等指示代詞所取代了。

---

39 譚芳芳.《兒女英雄傳》代詞計量研究[D]. 蘇州大學文學院，2010：92-93.
40 指示代詞"斯"在《型世言》的口語材料中已經找不到一個用例；僅有 2 例出現在篇首的詩詞中。

二、雙音節趨勢十分明顯

　　"這"字系列與"那"字系列的詞語中，其雙音節結構日漸凝固成形。如今現代漢語中通行的"這裏、那裏"、"這邊、那邊"、"這個、那個"、"這些、那些"等就是從近代漢語中演化而來的。

第三章　《型世言》中的疑問代詞

　　疑問代詞是對人、事、物、時間、處所、數量、方式、原因、目的、性狀等表示詢問的代詞。商代卜辭和西周金文中都沒有疑問代詞，上古漢語疑問代詞系統大約是在東周以後產生的。一共有 3 個系列：“誰、孰、疇”主要問人，“何、曷、害、胡、奚、盍”主要問事物，“惡、安、焉”主要問處所。到了中古時期，疑問代詞有了很大的發展。上古流傳下來的“何、誰、孰、胡、奚、安”等繼續使用，六朝以後又先後產生了“多少、幾多、那、若、底、等、爭、怎、麼、沒、所”等新的疑問代詞以及有關的複合形式。近代漢語的疑問代詞很多是中古漢語保留下來的。新產生的疑問代詞絕大多數是複合詞，如“兀誰、那等、那兒、甚些、爲甚麼、怎的、怎麼樣、多早晚、咱的”等，而且不少新詞的形式和用法都處在變化的狀態之中。因此，近代漢語的疑問代詞是豐富而複雜的。[1]

　　我們把《型世言》中的主要疑問代詞按系列分別進行討論，這些系列是：“怎”字系列、“何”字系列、“甚”字系列、“那”字系列等，另外還有“誰、多少、幾、安、孰”等。其詳細分佈情況見表 1。

1　向熹. 簡明漢語史（下）[M]. 北京：商務印書館，2010：103-115，383-386.

表 1　《型世言》中的疑問代詞分佈及其所占百分比

一、 "怎"字 系列				二、 "何"字 系列[2]			三、 "甚"字 系列			四、 "那"字 系列			五、其他				
詞項	怎	怎生	怎麼	仔麼	何	如何	何妨	甚	甚麼	什麼	那	那裏	那邊	誰	多少	幾	安	孰
次數	316	29	47	105	315	80	22	308	78	26	183	119	18	149	46	38	5	3
百分比%	26.19				22.11			21.84			16.69			7.90	2.43	2.01	0.26	0.15

第一節　"怎"字系列

（一）怎

　　"怎"字的來源現在學界似乎尙無定論。呂叔湘先生在《近代漢語指代詞》中，列出的最早的例子是《東坡樂府》中的"問君終日怎安排心眼？"。而記錄從中唐到北宋 20 家禪師語錄的《古尊宿語要》，疑問代詞中竟沒有單用的"怎"字，卻有單用的"爭"字。而先秦的《詩經》中也未見一個"怎"字。由此我們可以知道，直到唐宋時期，表示"怎"這一含義的字不止一個，而該字尙無固定的寫法。

　　對此，向熹是這麼認爲的：隋唐時期就有"爭"的用例，也寫作"曾"。而"爭"最初是由"作什麼"先緊縮爲"作麼、作

2　"何"字系列疑問代詞隊伍龐大，共 27 個，這裏僅列出兩個代表性的詞語。

摩"，再加上詞綴"生"成爲"作麼生、作沒生、作勿生"等形式，最後再緊縮而成的 —— "作麼"直接緊縮爲"怎"，後加上詞綴"麼、生"成爲"怎麼、怎生"，取代了以前的"爭、作麼、作麼生"[3]。張相的《詩詞曲辭匯釋》中說："爭猶怎也。自來謂宋人用怎字，唐人只用爭字。"可見，"怎"在宋代逐漸替代"爭"成爲主角。但也有學者認爲"怎"、"爭"的來源不同，所以"怎"是不是從"爭"演化而來的尚無定論。

在本書中，作疑問代詞的"怎"單用的有 316 例（"怎麼，怎生"另文分析），占全部疑問代詞的 16.75%，其主要用法是作狀語，如：

1.用在謂詞性成分之前作狀語。這是"怎"字的主要用法。如：

①哥哥，我雖虧你苟全，但不知我父親、祖父母、兄姐此去何如？怎得一消息？（第 1 回）

②若靠文字，便是錦繡般，他只不看怎處？（第 32 回）

③小的與他老鄰舍，極過得好的，怎爲這八兩銀子害他兩條性命？（第 33 回）

④這風子，你要吃，我要吃，怎蠻打我？（第 34 回）

2.作狀語的"怎"有時置於句首主語前，這種用法是現代漢語中比較少見的。如：

⑤王俊道："你有力量自造，怎我造賠你？"（第 2 回）

⑥你看他在街上走，搖搖擺擺，好個模樣，替這些學生也有說有道，好不和氣，怎你道他个好？（第 35 回）

---

3 向熹. 簡明漢語史（下）[M]. 北京：商務印書館，2010：395-396.

⑦怎你只一二十日弄到這嘴臉？一定著鬼了，仔細，仔細。（第 38 回）

⑧陳驅山道："學生偶爾僥倖，也是初來，並未相識。怎老丈知我姓，又這等厚款？"（第 40 回）

現代漢語中，"怎"置於句首時，"怎"字後面一般接動詞（含係詞）或連詞。如：（1）怎麼是你？（2）怎麼幹都行。（3）怎麼連我也不知道？

（二）怎生

"怎生"一詞有人認為是從"作麼生"演化而來的，自從唐代就開始出現。但是《敦煌變文集》裏，它就已經有用例了。其出現比"作麼"、"作麼生"早，也比"怎麼"、"怎"要早。而且在口語中，"怎生"已經發育得比較成熟[4]。

《型世言》中作疑問代詞的"怎生"共出現 29 例，占全部疑問代詞的 1.53%，其主要用法如下：

1.作主語，用例很少，如：

①先生道："令尊要我去說，怎生是好？"（第 18 回）

2.作謂語，這裏的"怎生"相當於"怎麼辦"，如：

②勢大攻取附近城池，不成逃入套去，怕他怎生？（第 17 回）

③那廝道："他來，我怎生？"（第 22 回）

④陳代巡道："我問他要，他不認怎生？"（第 30 回）

3.作狀語：這是"怎生"的主要用法。

4 盧烈紅.《古尊宿語要》代詞助詞研究[M]. 武漢：武漢大學出版社，1998：187.

⑤聖上一時要人，怎生答應？（第 1 回）

⑥就起課也不曾念得個六十四卦熟，怎生騙得動人？（第 9 回）

⑦你獨自一個冷冷清清，怎生過得？（第 16 回）

⑧我也須與你同有十來年甘苦，並沒一些不好，怎生下得？（第 31 回）

另外，我們還發現 1 例作"怎生樣"的：

⑨有的道："做甚清官，看他妻子怎生樣過活？"（第 18 回）

（三）怎麼　仔麼

"怎麼"、"仔麼"實際上是一個詞，兩種寫法。從《景德傳燈錄》中就可以找到例子。一般認為，它是從"怎"發展而來的。

在《型世言》中，作疑問代詞的"怎麼"（仔麼）共有 152 例，占全部疑問代詞的 8.05%，其主要用法有：

1.作謂語，如：

①陳鼎彝道："這兩個女兒怎麼？"（第 10 回）

②芳卿已在那邊等信。道："仔麼了？"（第 11 回）

③邵承坡道："庾仰，仔麼？"（第 33 回）

④只是你的房我一年一年望你回來，也不曾開，不知裏面怎麼的了。（第 35 回）

⑤彭氏道："胡說，只是這和尚假老實，沒處入港，仔麼？"（第 35 回）

⑥那呂達來看，道："如今下麵仔麼了？"（第 37 回）

2.作賓語，相當於"什麼"，如：

⑦貴梅道："這是我命運，說他怎麼？"（第6回）

⑧朱安國道："我也曾定一頭親在袁花，也是鄭家，連日不曾去看得，不知怎麼？"（第25回）

⑨穎如笑道："這兩個丫頭究竟也還要屬我，我特特起這覈兒，你說的怎麼。"（第28回）

⑩這人道："說他仔麼？"（第31回）

3.作狀語，如：

⑪姊姊這房子老了，東壁打西壁，仔麼過？（第4回）

⑫真虧你，我們這樣年紀，沒個丈夫在身邊，一日也過不得。虧你怎麼熬得這苦。（第4回）

⑬鄧氏道："他好不妝膀兒，要做漢子哩，怎麼肯做這事？"（第5回）

⑭大慈道："你仔麼這等認得定？"（第9回）

⑮一朝天子一朝臣，怎麼還不與你管事？（第15回）

⑯他是寡女，我是孤男，點點船中，怎麼容得？（第20回）

⑰張小山，仔麼這樣呆？（第26回）

⑱衣服如今仔麼制度才好？甚麼顏色及時？你一叢，我一簇，倒也不是個念佛場，做了個講談所。（第4回）

"制度"在這裏用作動詞，是"製作"的意思。

4.作定語，如：

⑲叫鄭氏："你道是仔麼兩個箱，我就押你兩人去取來。"（第25回）

5.表虛指，如：

⑳這明明是白大欺妻子孤身，輒起不良之心，不知怎麼殺了。

（第 5 回）

㉑列位老人家，我丈夫不知仔麼，他日後把些差撥來，便這幾兩銀子也不夠作用。（第 9 回）

㉒前日小廝乞食到他有，只見姐姐在那廂，把了他兩碗小米飯，說府中道他拿得多了，要打，不知仔麼。（第 14 回）

㉓那李良雨也不知仔麼，人是女人，氣力也是女人，竟沒了，被他捱在身邊，李良雨只得背著他睡。（第 37 回）

㉔情眼裏出西施，他自暗暗裏想像這文姬生相仔麼好，身材仔麼好，性格仔麼好，又模擬道：“我前遇著他……”（第 38 回）

另外，在書中我們還發現 1 例作“仔麼樣”的，如：

㉕好官替我下老實處這一番，這時候不知在監裏仔麼樣苦哩！（第 6 回）

本節小結：“怎”字系列是疑問代詞中用例最多的，雙音節化趨勢十分明顯

從全書看來，“怎”字系列的疑問代詞，大多為詢問性質、狀況、方式、原因等；“不+怎麼”、“不+仔麼”的結構也沒有出現。現代漢語中的其他義項，如表示泛指，表“有一定程度”，在《型世言》中都沒有出現。

第二節 “何”字系列

（一）何

“何”字作為疑問代詞，早在先秦時期就出現了。它是當時最主要的詢問事物的代詞，用法多樣，分佈廣泛。到了兩漢，出現了“何等”，自六朝以降，“何”的複音詞“何物”、“何等”使用比較頻繁。據張振德等人研究，《世說新語》中的“何”單獨使用的只有 106 例，而“何”的凝固結構則有 274 例。到了唐代，“何”的地位逐漸被“甚麼（什麼）”所取代。在《古尊宿語要》、《五燈會元》中，其數量均不如“甚麼（什麼）”[5]。

在《型世言》中，疑問代詞“何”共出現 475 例。“何”的雙音節代詞已經比較普遍了，現代漢語中通用的詞語在這本書裏已經基本出現了。以《現代漢語詞典》中出現的詞條爲例，其中：“何必”出現 25 次，“何不”出現 12 次，“何曾”出現 13 次，“何等”出現 8 次，“何妨”出現 22 次，“何故”出現 2 次，“何苦”出現 4 次，“何況”出現 1 次，“何如”出現 39 次，“何須”出現 7 次，“何許”出現 1 次，“何以”出現 16 次，“何在”出現 7 次。另外“奈何”出現 45 次，“如何”出現 80 次，“何時”出現 4 次，“何處”出現 31 次，“何事”出現 4 次，“何人”出現 22 次，“幾何”出現 1 次，“何年”出現 1 次，“何日”出現 2 次，“何難”出現 7 次，“何物”出現 3 次，“爲何”出現 9 次，“緣何”出現 9 次。《現代漢語詞典》中的 21 個詞條，只有兩個口語化程度較高的“何其”、“何止”沒有在《型世言》中出現。這些雙音節代詞不計，單用的“何”有 94 例，占全部疑問代詞的 4.98%。下面我們就對“何”的用法進行考察。

在《型世言》中，作疑問代詞的“何”就其語法功能而言，主要是用來作定語和狀語，用法比較單一。我們不妨換個角度來

---

5 盧烈紅.《古尊宿語要》代詞助詞研究[M]. 武漢：武漢大學出版社，1998：154.

考察。其作為疑問代詞的主要用法主要是表詢問和反問，如：

1.表詢問。

（1）詢問事物：這種用法在《型世言》中不是太多。

①大慈道："既不相識，以何為證？"（第9回）

②只是後邊想起當初鼠竊狗偷的，是何光景？（第11回）

（2）詢問時間：這種用法在《型世言》中已經比較常見了。

③噤！何日得成雙？鴛鴦兩兩，行雨行雲，對浴清波上。（第5回）

④老父弱弟，相見何期？（第11回）

⑤彭學士道："足下計京軍何時可到固原？"（第17回）

（3）詢問處所或地點：

⑥王原見了也走來作上一個揖，老者問少年何來，王原把尋親被溺之事說了，老者點頭道："孝子，孝子！"（第9回）

⑦不知伯溫已做準備了，大喝一聲道："何方潑怪，敢在此魅人？"（第40回）

（4）詢問原因：

⑧我料屋心裏原何有賊？這等著神見鬼。（第6回）

⑨半酣，總制叫翠翹到面前道："滿堂宴笑，卿何向隅？全兩浙生靈，卿功大矣！"（第7回）

⑩……連盧大來也道："兄何狂易如此？"也嚇走了。（第14回）

⑪師兄何得歪纏。我即持此經，送我師父。（第35回）

（5）詢問性狀：

⑫人各有幸有不幸，今公姑都老，媳婦年少，歲月迢遙，事變難料，媳婦何敢望祖姑？一死決矣！（第10回）

⑬芳卿道："佳人難得，才子難逢。情之所鐘，正在我輩，郎何恝然？"（第 11 回）

⑭山人一杖一履，何裝可束？（第 34 回）

2.表反問。

⑮於倫道："這不賢婦要他何用？"（第 3 回）

⑯這老婆子與你何干？（第 4 回）

⑰我自離家一十五年，寄居僧寺，更有何顏複見鄉里？（第 9 回）

⑱烈女道："兒亦何心求貞烈名？但已許夫以死，不可給之以生。"（第 10 回）

⑲人各有性命，何得只來衛我？（第 17 回）

⑳森甫扶起，道："小事，何足掛齒。"（第 19 回）

由上述分析可知，"何"作為疑問代詞的用法還是很豐富的。

（二）如何

在《型世言》中，作疑問代詞的"如何"共有 80 例，占全部疑問代詞的 4.24%，其主要用法如下：

1.作謂語，表疑問。相當於"怎麼樣"、"怎麼辦"。如：

①坐定，王俊慌忙出來道："如何？"（第 2 回）

②李權吃了些酒回了，趙氏迎著道："如何？"（第 4 回）

③事由汝輩作，今日俱棄我去，叫我如何？（第 8 回）

④醫者又問道："後來如何？"（第 16 回）

⑤只見路上遇著任天挺贖當回來，水心月還拿著這銀子，道："所事如何？不要，我好將銀子還孫家。"（第 32 回）

2.作狀語。

（1）表疑問。如：

⑥王俊道："如今二位伯祖如何張主？"（第2回）

⑦王道道："他有墳地，如何肯燒？只他妻子自行收殮，便無後患了。"（第2回）

⑧要與丈夫閒話，他也清晨就在店中，直到晚方得閒，如何有工夫與他說笑？（第3回）

⑨他又道先前已曾許把一個朱家，如何行得這等事？"（第25回）

⑩婦人道："如何等得他回？一定要累你替我去尋他。"（第26回）

⑪況這時春三二月，只要放出去，如何有銀子收來與他！（第28回）

（2）有時也表反問。如：

⑫也漸漸說我家中像意，如今要想甚飲食都不得到口，希圖丈夫的背地買些與他。那周於倫如何肯？（第3回）

⑬到得四更醒來，卻睡在吐的中間，身子動撣不得，滿身酒臭難聞，如何好去？（第6回）

⑭王喜此時真是天落下來的富貴，如何不應允？（第92回）

⑮有一餐，沒有一餐，置夏衣，典賣多衣，這等窮苦，如何過得日子？（第10回）

⑯府官先打發分上不開，如何能令孤寒吐氣？（第16回）

3.作主語，表疑問。如：

⑰盛氏聽了，便在床上一骰碌扒起，道："我說他這心疼病極凶的，不曾醫得，如何是好？"（第3回）

⑱倘同他回去，朝廷或行害了，恰是我殺害他了，如何是好？

（第 8 回）

（三）何妨

在《型世言》中，作疑問代詞的"何妨"有 22 例，占全部疑問代詞的 1.16%。主要用來作謂語或狀語。一般用來表示反問，如：

1.作謂語，如：

①白監生道："這是本司院裏，何妨？"（第 1 回）

②你若說為生意，須知生意事小，婆婆病大。便關兩日店何妨？（第 3 回）

③寡婦道："這是汪朝奉，便見何妨？做甚腔！"（第 6 回）

④程教諭道："何妨？我正要面闕一說。"（第 8 回）

⑤他是妖僧哄我，何妨！（第 28 回）

2.作狀語，如：

⑥你若果有心向善，何妨複返故土？（第 9 回）

⑦如張文忠五十四中進士，遭際世廟，六年拜相，做許多事業，何妨晚達？（第 28 回）

⑧既真是李良雨，何妨回來，卻又移窠到別縣，李老二，你去他把帶去本錢與你麼？（第 37 回）

這裏，我們觀察到一個有趣的現象：即"何妨"一般放在句子的開頭或結尾；以處於句尾的居多。

（四）其他"何"字系列疑問代詞歸類分析

1.表詢問原因或表反詰

A：何不

現代漢語，與該詞相對應的是"爲什麼不"，共有 12 例，其中表疑問、表反詰的各有 6 例。下面分別各舉 2 例，如：

①倘故園尙未荒蕪，何不同君歸耕？"（第 1 回）

②前村羊氏女極美，何不往淫之？（第 39 回）

③胡梅林令翠翹誦之，曰："卿素以文名，何不和之？"（第 7 回）

④張老官，似你這等青年，怎挨這寂寞？何不去小娘家一走？（第 7 回）

其中例①—例②表疑問，例③—例④表反詰。

B：何曾 何嘗

在《型世言》中，"何曾"有 13 例，"何嘗"有 7 例，全部表反詰，下面分別各舉 2 例，如：

①（周于倫）姐姐聽了，也便吃一個大驚，道："何曾有這事？是那個來接？"（第 2 回）

②讀甚麼書！功名無成，又何曾有一日夫妻子母之樂？（第 10 回）

③那道理何嘗定在書上？（第 15 回）

④他逃難的人，不帶得糧，馬也何嘗帶得料？（第 17 回）

由上可知，"何曾"、"何嘗"基本用作狀語。

C：何如

在《型世言》中，"何如"有 39 例，表詢問怎麼辦或怎麼樣。

①姐夫，何如？現現掘得七坑八坎在此！（第 15 回）

②就是世建，得知他後來何如？生他的尙且管不了，沒了，你怎管得？（第 16 回）

③張知縣道："下官蚤間出來，尙未吃午膳。二位也來久了，

吃些酒飯何如？"（第 22 回）

④胡似莊道："史大官，你道何如？畢竟要錢。昨日沒錢，自然沒幹。"（第 31 回）

⑤你藥不知何如，怎生輕易引奏？（第 34 回）

例①—例③中的"何如"作謂語，例④—例⑤中的"何如"作賓語。

D：何以

在《型世言》中，"何以"有 16 例，相當於"怎麼"或"怎麼樣"。一般在問句中作狀語。

①聖上差下官敦請，若先生不往，下官何以復命？（第 34 回）

②此中酣適，彼畏痛楚，世尊何以令脫此苦？（第 35 回）

③若石不磷非知人之傑，亦何以聯兩人之交？（第 20 回）

另外，表詢問原因的疑問代詞還有"何故"、"何苦"、"爲何"、"緣何"、"何須"等，限於篇幅，不一一展開討論了。

2.表詢問方位

何在　何處

在《型世言》中，"何在"有 7 例，"何處"有 31 例，相當於"在哪"。"何在"一般在問句中作謂語，如例①—例②。"何處"一般在問句中作主語和賓語，如例③—例④。

①錢公佈道："我教你不要做這樣事，令尊得知，連我體面何在？"（第 27 回）

②真是薄幸空名，營求何在？（第 31 回）

③帖木兒道："美人高姓？住在何處？爲何每日在此？"（第 40 回）

④我仙家出有入無，何處不到？（第 40 回）

3.分別表示詢問事情和物體

何事　何物

在《型世言》中，"何事"有 4 例，"何物"有 3 例，相當於"什麼事"、"什麼東西"。"何事"一般在問句中作狀語，如例①—例②。"何物"一般在問句中作定語，如例③。

①郎君的的有奇才，何事年年被放回？（第 18 回）

②因問："相公因何事到此？"（第 19 回）

③蓋公以正人，膺受多福，履煩劇而不撓，曆憂患而不驚，何物妖蛟能抗之哉？（第 39 回）

4. 表示詢問人員

何人

"何人"在《型世言》中共有 22 例，什麼詢問什麼人。"何人"一般在問句中作主語、謂語和賓語，如例①—例③，也有作介詞賓語的，如例④。

①女生有家，也是令先公地下之意，況小姐若不配親，依倚何人？（第 1 回）

②只是我父亡母老，我若出去打官司，家中何人奉養？又要累各位。"（第 2 回）

③來者何人？（第 12 回）

④三府道："王氏在家與何人過活？"（第 26 回）

5.表示詢問時間

何時　何年　何日

①彭學士道："足下計京軍何時可到固原？"（第 17 回）

②爹娘妻子走相送，只恐骸骨何年返故鄉。（第 17 回）

③悶盈懷，何日獨把蟾宮桂，和根折得來？（第 18 回）

"何時、何年、何日"一般表示詢問時間，基本上用來作狀語。

另外，需要說明的是：在《型世言》中，"奈何"共有 45 例，其中有 5 例表疑問，作疑問代詞，意思是"怎麼辦？"

"何必"共有 25 例，其中有 15 例表疑問，作疑問代詞，意思是"爲什麼？""何等"有 5 例表感歎，有 2 例詢問原因，1 例表反問。

本節小結："何"字系列是疑問代詞中數量最多的，雙音節化趨勢十分明顯

《型世言》中疑問代詞"何"共出現 475 例，其中有 27 種複音結構，絕大多數結構已呈凝固化趨勢，其各種用法達 381 例。這些雙音節代詞不計，單用的"何"僅 94 例。其雙音節結構或用例與單用的"何"的比例爲 4：1。可見疑問代詞雙音節化十分明顯。

第三節　"甚"字系列

（一）甚

"甚"在《詩經》中並無作疑問詞的用法，而是用作形容詞和副詞。但在記錄晚唐五代時期語言面貌的《敦煌變文集》裏就已經有作疑問代詞的用法了。

據太田辰夫考證，"甚"字系列最主要的兩個成員是"甚、甚麼",兩者由"是物"分別衍生出來:"甚"是"是物"的兩個字的音節縮約的結果;"甚麼"則是從"甚物(沒)"歷經"甚摩"最後發展到"甚麼"。"甚麼"即"甚麼"的繁體字,在近代漢語的演化過程中,它由於筆劃的不簡潔,及"甚"也常作副詞表"很"之義,而在與"什麼"競爭中被淘汰了下來。[6]所以"甚麼"與"什麼"實際上是不同的字形,同一個意義。

《型世言》中單用的"甚"共有436例,我們把"甚"的用法作了一下簡單的分類,基本上可以分作以下這麼五個類別:

在本書中,作疑問代詞的"甚"單用的有308例,占全部疑問代詞的16.32%,其主要用法如下:

1.作定語。這是"甚"最常見的用法,共有394例。

A:解釋爲"什麼",表反問。如:

①這二三百年房子,你不修,我不修,自然要坍。關我甚事!(第2回)

②富爾穀道:"姚居仁!關你甚事?"(第13回)

B:解釋爲"什麼",表實指。如:

③成祖問:"你甚人?敢來收葬罪人骸骨!"(第1回)

④林氏便問:"你臂上生甚東西麼?"(第4回)

⑤問他是甚人,道不見有人。(第5回)

⑥又問:"有甚指證麼?"道:"有行兇的戒尺,與買囑銀子,現在富財處。"(第13回)

C:表虛指。這種情形最爲常見。如:

⑦母親見了哭道:"兒,我不知道你懷這意,你若有甚蹉跌,

---

6 太田辰夫. 漢語史通考[M]. 江藍生,白維國,譯.重慶:重慶出版社,1991:88-101.

叫我如何？"。（第 2 回）

⑧掌珠只是微笑不做聲，忽聽得丈夫在外邊叫甚事，慌忙關了門進去。（第 3 回）

⑨今日這家送甚點心來，明日那家送甚果子來。（第 3 回）

⑩反央及楊三嫂兒子長孫，或是徐媒婆家小廝來定，買些甚果子點心回答。（第 3 回）

⑪山縣裏沒甚名醫，百計尋得藥來，如水投石，竟是沒效。（第 4 回）

⑫忽聽外邊推門響，耿埴道："想忘了甚物，又來也。"（第 5 回）

⑬鄧氏道："哥，他也原沒甚不好，只是咱心裏不大喜他。"（第 5 回）

⑭雖與寡婦對答，也沒甚心想，仍舊把行李發在舊房，兩個仍行舊法。（第 6 回）

⑮說道箱子裏尋出甚縛手布條兒，我記得前日他在井上破魚，傷了指頭，也包著手。（第 36 回）

D：相當於"誰"。全書中只有 1 例。如：

⑯內中一個做公的，怕一捉時，走了人不好回話，先趕出城，見了車子道："是甚的車？本縣四爺要解冊籍到府，叫他來服事。"（第 22 回）

像例⑯中，"甚"作領格的例子很少。"甚"和"人"結合，組成"甚人"，相當於"誰"的倒有 20 例。

2.作賓語。

A：表虛指。

⑰那人不轉眼把公子窺視，公子不知甚，卻也動心，問道：

"兄仙鄉何處？"（第 1 回）

⑱你每日辛苦,也該買些甚將息,如今買來的只夠供養阿婆,不得輪到你,怕淘壞身子。（第 3 回）

B：表泛指。

⑲若道一聲要甚吃,便沒錢典當也要買與他吃。（第 5 回）

C：表實指。

⑳有甚得你銀子、嫁你作妾事？（第 26 回）

㉑大姐道："只要問他討咱們做甚來？咱們送他下鄉去罷。"（第 5 回）

（二）甚麼（什麼）

一般認爲, "甚麼（什麼）"一詞的前身是唐代出現的"是物"、"是勿"。到了西元 9 世紀時,由於第一個音節受第二個音節聲母/m/的同化而帶上了/-m/尾,出現了"甚"、"甚謨"等形式；10 世紀中葉,伴隨入聲的消失,第二個音節換用開音節的"摩",出現了"甚摩",而由於入聲字"什"韻尾弱化爲/-b/,在鼻音聲母字前讀/sim/音。因此, "甚摩"又可寫作"什摩"；10 世紀後半期,大概由於這個疑問詞的第二個音節因輕讀而自/ma/變爲/mo/,於是標寫形式換成了"甚麼""什麼。"幾經變更,到了宋代才定型爲"什麼"[7]。孫錫信也持相同觀點,他在 1985 年發表的原載于《中國語文》的《釋"什麼"商榷》一文中,論述的"什麼"的發展軌跡與太田辰夫的觀點基本一致,但是他認爲在"什麼"的發展環節末端,還曾經寫作爲"拾沒",不過

---

7 太田辰夫. 漢語史通考[M]. 江藍生,白維國,譯.重慶：重慶出版社,1991：97-98.

很快被淘汰了。[8]他給出的"什麼"發展路線圖如下：

甚物（7世紀中葉）── 是物、是勿、是沒物（8世紀初葉或中葉）── 甚沒、沒、甚（9世紀後半葉）── 什沒、阿沒（9世紀以後，五代時期）── 甚麼、什麼（10世紀）── 什麼（10世紀末）

在《型世言》中，作疑問代詞的"甚麼（什麼）"共有104例，占全部疑問代詞的5.51％，其主要用法如下：

1.作主語，表列舉。如：

①若說算命，他曉得甚麼是四柱？甚麼是大限、小限、官印、刃殺？（第9回）

②只見穎如道："我見道家上表，畢竟有個官銜，甚麼上清三洞仙卿、上相九天採訪使，如今你表章上也須署一個銜才好。"（第28回）

2.作賓語，表疑問或反問。如：

③孫都道："你知道些甚麼？"（第1回）

④周於倫道："去張家做甚麼？"（第3回）

⑤你忤逆本該打死，如今我饒你。你待做些什麼？（第35回）

⑥鐵小姐只是在靈前痛哭，虔婆又道："這是個樂地，嚎甚麼！"（第1回）

⑦（那霍氏）……趕出來一把扭住張老三道："賊忘八！你打死了咱人，還來尋甚麼？"（第9回）

⑧那人見了，道："誰不認得李相公，你瞧甚麼？"（第18

---

8 孫錫信.漢語歷史語法叢稿[M].上海：漢語大詞典出版社，1997：22-28.

回）

　　"甚麼"在例③—例⑤中表疑問，在例⑥—例⑧中表反問。

　　3.作定語，表疑問或反問。如：

　　⑨鐵匠道："甚麼匕首？可是解手刀？"（第2回）

　　⑩只見這些鄰舍一齊趕來，道："是甚麼人殺的？"（第 5 回）

　　⑪那左首的雷也似問一聲道："你甚麼官？敢到俺軍前緝聽！"（第7回）

　　⑫小沙彌道："你甚麼人？可出去，等我們關門。"（第9回）

　　⑬縣尊又問道："箱內是什麼物件？"（第25回）

　　⑭不知什麼緣故，忙叫兩個伏侍丫鬟來問時，道不知。（第27回）

　　⑮善世又歎息道："誰將絳雪生岩骨，剩有遺文壓世間。讀甚麼書！功名無成，又何曾有一日夫妻子母之樂？"（第10回）

　　⑯人只試想一想，一個女子，我與他苟合，這時你愛色，我愛才，惟恐不得上手，還有什麼話說！（第11回）

　　"甚麼"（什麼）在例⑨—例⑭中表疑問，在例⑮—例⑯中表反問。

　　4.表虛指。如：

　　⑰崔科怕他講甚麼，道："你有田有地的，也來告貧？"（第9回）

　　⑱只見石不磷停了一會，似想些甚麼，道："這等明日兄且為我暫住半晌，小弟還有事相托。"（第20回）

　　⑲次日，果然來，竟進裏邊，見愛姐獨坐，像個思量什麼的。（第21回）

⑳還有一件衣服，裏著些甚麼，他自拿去。（第 23 回）

㉑又聽得什麼撞屋子響，道："晦氣。現今屋子也難支撐在這裏，還禁得甚木植磕哩。"（第 25 回）

㉒小師父，我們家主公，他日日有生意不在，只有我。你若要什麼，自進來拿。（第 35 回）

例⑥—例⑧和例⑮—例⑯中的"甚麼"均表示否定含義。

本節小結："甚"字系列是疑問代詞中字形變化最大的，多音節化趨勢十分明顯；"什麼"已登上歷史舞臺，宣告"甚麼"即將走向沒落

另外，三音節發問代詞也已出現。在《型世言》中，我們發現"做什麼"、"爲什麼"、"什麼樣"等現代漢語中常見的三音節詞語都已開始嶄露頭角。如：

①韃扮都是赤腳，見了他一雙小小金蓮，他把自己腳伸出來，對小姐道："咱這裏都這般走得路，你那纏得尖尖的甚麼樣？快解去了。"（第 14 回）

②三府道："他前日爲甚麼出去？"（第 26 回）

③眾人看見徐英，道："做什麼？做什麼？"（第 35 回）

④有了一個老陪堂，又加上兩個小幫閒，也不曉得什麼樣的是書，什麼樣的是經，什麼樣的是時文。（第 15 回）

第四節　"那（哪）"字系列

"那"在漢末的佛經翻譯中出現，經六朝、唐代，發展成爲一個普遍使用的疑問代詞。"五四"新文化運動以後，爲了區別於遠指代詞"那"，用"哪"來替換。關於"那"的來源，歷史上存在不同的見解。顧炎武的《日知錄》中指出："直言曰那，長言之曰奈何，一也。"[9]即"那"是"奈何"的合音。章太炎的《新方言》中認爲"那"從"若"轉化而來："若作諾聲，故轉如那"。《古書虛辭集解》中說："那猶何也，今語謂何曰那。"王力的《漢語史稿》中認爲"'安'與'焉'收音於/-n/，可能轉化爲/na/（那）"。[10]中古由疑問代詞"那"構成的複音詞有"那裏、那邊、阿那個、阿那邊"等，產生于唐代。到了近代漢語，這些複音詞繼續使用，又出現了"那等、那答兒、那兒、那裏每、那門子、那廂"等新的複音詞。

（一）那（哪）

"那"（哪）的用法有二：一表詢問，二表反問。

據呂叔湘先生考證，表擇別性的"那"（哪）的最初來源爲"若個"，在唐朝的一些文集中就已經出現了；而後又出現了"阿那"。而表事理詢問的"那"（哪）在《世說新語》和《南北朝民歌》中就已經很普遍，可能早在漢魏時期就出現了 —— 如《孔雀東南飛》："生人作死別，恨恨那可論？"關於"那（哪）"的來源，很可能爲"若何"。

我們在本書中對"那"（哪）字的考察中發現，"那"字作爲"哪"使用的一個鮮明的特點是它往往和表示否定意義的詞在一起，表達反問的語氣。即其第二種用法要遠遠多於第一種用法。

---

9 向熹. 簡明漢語史（下）[M]. 北京：商務印書館，2010：386-388.
10 王力. 漢語史稿[M]. 北京：中華書局，1980：295.

此外，作主語、賓語時，單用的極少，一般都帶量詞“個”，形成“那個”（哪個）這樣的比較固定的形式[11]。

在《型世言》中，作疑問代詞的“那”（哪）單用的共有 183 例，占全部疑問代詞的 9.70%，其主要用法如下：

1.作主語。如：

①我是他義男章旺，那是甚張旺？（第 3 回）

②采菱道：“親娘謊我，那個肯呆？”（第 11 回）

③張箟娘道：“那個大膽主的婚？現今你有原聘丈夫在那邊，是這家倀兒。他要費嘴。”（第 25 回）

④哄了一屋的人，也不知那個說的是。（第 26 回）

⑤三府道：“你娶王氏，那個為媒？”（第 26 回）

⑥穎如道：“我有了二三百銀子，又有兩個女人，就還了俗，那個管我。”（第 28 回）

例①中“那(哪)”單獨作主語，例②—例⑥，“那”與“個”組成指量短語作主語。

2.作賓語。如：

⑦要說句知心話兒，替那個說？（第 4 回）

⑧細細聽去，又聽得數說道：“我的人，叫我無兒無女看那個？”（第 10 回）

⑨水心月木呆了半日，道：“也不知騙著那個。”（第 32 回）

⑩馮外郎見了真贓，便留住週一吃酒，問：“是那個？莫不是老杜？”（第 36 回）

---

11 《型世言》中有“那個”（哪個）共 52 例，限於篇幅，未單獨展開討論。

"那"與"個"組成指量短語,在例⑦中作介賓,在例⑧中作動賓,在例⑩中作系詞賓語。

3.單用,作定語。如:

⑪這些人只要奉承家主,要他歡喜,那件不做出來?(第16回)

⑫(支佩德)算計定了,來見巫婆,道:"承婆婆好意,只是那家肯借?"(第19回)

⑬你看他那布匹衣服,那件沒有水漬痕?你還要強爭。(第25回)

⑭扯到家中,婦人問道:"你們那家?幾時與我二爺起身?……"(第26回)

⑮那馮敬溪捏在手中道:"多謝二位相公。不知是那一位見惠的?……"(第27回)

在例⑪—例⑮中,"那"作定語,修飾"件、家、一位"。"那件"、"那家"似尚未形成凝固結構。

4.單用,作狀語。如:

⑯高秀才道:"便雇也雇一個兒。"老人道:"那得閒錢。"(第1回)

⑰有幾個和尚,恰似祖傳下的寺宇,那肯容留人?(第3回)

⑱忽雷笑道:"那要得許多?"(第14回)

⑲只是沈闔年紀有了,只在家中享福,那知兒子所為?(第15回)

⑳只要固目下館,那顧學生後來不通,後來不成器?(第19回)

㉑他終年做生意,討不上一個妻子。那見他會撰錢?(第37

回）

此外，本書中的"那個"還可表任指。如：

㉒這些婦女最聽哄，那個不背地裏拿出錢，還又攛掇丈夫護法施捨。（第 28 回）

㉓這差使是好差，你去，那個要的，你要他五兩銀子，僉與他。（第 30 回）

有時，也可表示虛指。如：

㉔由你挖壁扒牆，撬門掇窗，他都知道是那個手跡。（第 22 回）

（二）那裏（哪里）

"那裏"是晚唐時期開始出現的一個疑問代詞。其最初的形式有"阿那裏"、"那裏"等形式。自宋以後"那裏"的寫法逐漸固定，成爲雙音節疑問代詞的主要形式之一。

在《型世言》中，作疑問代詞的"那裏"共有 119 例，占全部疑問代詞的 6.30％，其主要用法如下：

1.作主語：

①楊三嫂便道："那裏去了？"（第 3 回）

②後來的，便把沙彌肩上搭一搭道："你是極肯做方便的，便容他一宵，那裏不是積德處？"（第 9 回）

③半尺厚灰沙，那裏去尋？"（第 12 回）

④王振惱了，著人緝訪他的過失。那裏有一些事蹟？（第 12 回）

2.作謂詞賓語或介詞賓語，這是"那裏（哪里）"在本書中最常見的用法，如：

⑤霍氏道："怎不真？點點屋兒，藏在那裏？不是打死，一定受氣不過，投河了。"（第9回）

⑥收的禮，括的鈔，怕走那裏去？（第16回）

⑦石廉使道："他身子在那裏？"（第21回）

⑧張篦娘道："老娘在那裏？"（第25回）

⑨四尊道："錢生員是個主謀了，如今在那裏？"（第27回）

作謂詞賓語的如例⑦—例⑨，作介詞賓語的如例⑤，例⑥作謂詞賓語還是作介詞賓語，這裏不是太明顯。按現代漢語的用法，其一般寫作"怕走（到）哪里去？""那（哪）裏"與"到"組成介賓短語，作句子的補語成分。

3.作定語：雖然現在"哪里"作定語的現象比較多，但是《型世言》中"那裏（哪里）"作定語的例子卻比較少。如：

⑩那邊鄧氏見他丟挑牙來，知是有意，但不知是那裏人，姓甚名誰。（第5回）

⑪只得叩了個頭，問他："那裏人？……"（第14回）

4.作狀語：

⑫兒，這藥那裏來的？委實好。（第4回）

⑬王喜道："要酒吃還好去賒兩壺，家裏宰只雞，弄塊豆腐，要錢那裏去討？"（第9回）

⑭姚利仁道："子弟赴父兄之門，那裏待呼喚？（第13回）

⑮草衣木食，那裏似昔日嬌娥？（第14回）

"那裏"有時也作"那理"：

⑯貴梅自守著孝堂，哭哭啼啼，那理來管他？（第6回）

此外，《型世言》中還出現了 3 例"那廂"[12]。

（三）那邊（哪邊）

《型世言》中的那（哪）邊共有 18 例。占全部疑問代詞的 0.95%，主要用法如下：

主要用作賓語，表疑問。如：

1.直接作謂詞賓語：

①張知縣道："這一個大縣，拿不出這些銀子來？叫他們胡亂再湊些。十分不勾，便把庫裏零星銀子找上罷。如今這幹人在那邊？"（第 22 回）

②扯到家中，婦人問道："你們那家？幾時與我二爺起身？如今二爺在那邊？"（第 26 回）

③陳副使便問："洪三十六在那邊？"兩人答應不出。（第 27 回）

④縣尊下轎進去，道："屍首在那邊？"徐行道："在房裏。"（第 29 回）

⑤史溫道："管家，提控在那邊？"楊興道："不知道。"（第 31 回）

2.作介詞賓語：

⑥盛氏走進自房中，打開箱子一看，細軟都無，道："他當

---

12 "那廂"共有 3 例。例 1、例 2 中表虛指，例 3 中表疑問：

1.若道一聲那廂去，便腳瘤死掙也要前去，只求他一個歡喜臉兒。（第 5 回）

2.嫂子，我想你丈夫也未必被他打死，想是糧不請得，又吃他打了兩下，氣不憤，或者尋個短見，或者走到那廂去了。（第 9 回）

3.你要去，我也難留你。只是沒個定向，叫你那廂去尋？（第 9 回）

初把女兒病騙我出門，一些不帶得，不知他去藏在那邊？"（第3回）

⑦饗史便叫白大："你水挑在那邊？"白大道："挑在灶前。"（第5回）

⑧余姥姥道："知道掉在那邊？半尺厚灰沙，那裏去尋？"（第12回）

⑨徐銘笑道："我這機謀鬼神莫測，從那邊想得來？"就挺身來見。（第21回）

本節小結："那（哪）"字系列疑問代詞發展後勁十足，雙音節化趨勢十分明顯，與介詞的組合能力也大大增強

"那（哪）"字系列有"那（哪）裏"、"那（哪）個"、"那（哪）邊"等雙音節疑問代詞等的用例數十至上百例不等。單用的"那（哪）"和雙音節的"那（哪）"字系列的比例爲1：1。可見其雙音節化趨勢十分明顯。限於篇幅，我們沒有對"那（哪）家"、"那（哪）個"等展開進行分析。該詞與"在"的組合十分頻繁，"在那（哪）邊"幾乎成爲了一個固定結構。"在那（哪）裏"的結構也很常見，可見雙音節疑問代詞與介詞的組合能力是很強的。

第五節　其他疑問代詞

（一）誰

在先秦時期，"誰"就已經得到了廣泛的運用。它的出現比

"孰"還要早一些。但當時"誰"的使用頻率不如"孰"。據王海棻先生考證，這兩個詞從意義上看，都以問人爲主，但都能問事物。[13]從功能看，"誰"能作主語、賓語、定語、判斷句謂語，四者都很常見；"孰"能作主語、賓語、定語、狀語，但是除了作主語、介詞賓語比較常見外，作動詞賓語、定語、狀語都不多見。從用法看，這兩個詞都既能表示詢問，又能表示反問，在表反問方面，已具多種語義。以"誰"爲例，用於反問時可表"無人"義，如："誰能出不由戶？何莫由斯道也？"(《論語·雍也》)。也可用於排他而特指說話人心中認定的對象，如："虎兕出於柙，龜玉毀於櫝中，是誰之過與？"(《論語·季氏》)這個"誰"是孔子明知故問，就特指其弟子"冉有"。此外"誰"還可用于否定全句所述情況、道理，如："誰謂河廣？一葦杭之。誰謂宋遠？跂予望之。"(《詩·衛風·河廣》)"誰"表反問的比例也不小，如《論語》中"誰"共出現 12 次，而表反問的就有 6 次，占其總量的 50%；《荀子》中共有"誰"12 例，表反問的就有 9 次，占 75%。

漢代產生的"阿誰"仍使用較多。"孰"在漢代仍維持高頻率，《論衡》中共用"誰"49 次，用"孰"81 次。

六朝時期，"誰"的用例增多，而"孰"開始萎縮。在《世說新語》中，"誰"出現 10 次，"孰"出現 5 次；在《百喻經》中，"誰"出現 5 次，"孰"不見使用。至唐代，李白詩中"誰"有 173 次，"孰"僅爲 2 次，劉禹錫詩中"誰"有 51 次，"孰"僅有 3 次。"孰"的萎縮以至衰落，原因在於它在語法功能方面

---

13 王海棻. 先秦疑問代詞"誰"與"孰"的比較[J]. 中國語文，1982(1)：42-47.

遠不如"誰"。因此,在與"誰"的競爭中處於劣勢,必然敗北。

到了唐宋,與"孰"相比,"誰"占絕對優勢,是問人代詞的基本形式,"孰"已經衰落[14]。到現代,除了書面某些習語中還偶見它的身影外,在口語中它已完全消逝,而讓"誰"獨占天下。"誰"字本身,從先秦典籍到《古尊宿語要》,意義和功能都沒有太大的變化,甚至現代與先秦相比也是如此。有些著作認為"誰"反詰的用法在晚唐五代前非常少見,將變文中"誰"的反詰用法稱為"新的用法",這是不符合實際的。"阿誰"始見於漢代,此後沿用了較長時間。它具有濃厚的口語色彩,這是它與"誰"的主要差別。

到了明代,在《型世言》中,"兀誰"已經消失;"阿誰"已經接近消失,只有3處,而且都是出現在詩詞中。

《型世言》中作疑問代詞的"誰"有149例,占全部疑問代詞的7.90%,其主要用法如下:

1.作主語。如:

①世名道:"誰要他銀子?可同到捨下。"(第2回)

②掌珠道:"誰記恨來?只是他難為人事。"(第3回)

③殷縣尊道:"誰是證見?"(第23回)

上文例①—例②中的"誰"指的是"我",說話人自己。

④張老三卻洋洋走來,大聲道:"誰扭咱崔老爹?你吃了獅子心來哩!"(第9回)

---

14 原文為:《語要》問人代詞的特點是:"誰"占絕對優勢,是問人代詞的基本形式,"孰"已經衰落,漢代產生的"阿誰"仍使用較多。盧烈紅.《古尊宿語要》代詞助詞研究[M].武漢:武漢大學出版社,1998:133.

2.作賓語。如：

⑤掌珠吃了一驚，心中想道："他若去，將誰嫁與客人？"（第3回）

⑥那邊鄧氏見他丟挑牙來，知是有意，但不知是那裏人，姓甚名誰。（第5回）

⑦你家妻子，你不知道，卻向誰叫？（第5回）

⑧哥，你去了，叫咱娘兒兩個靠著誰來？你還在家再處。（第9回）

⑨只見陳有容應道："是誰？"（第23回）

⑩這等你明明是個賊了，還要推誰？（第32回）

3.作定語。常置於"人、家"之前。如：

⑪不然老死在這廂，誰人與你說清！（第1回）

⑫盛氏道："誰人去得？這須得我自去。"（第3回）

⑬忙到街坊上叫道："夜間不知誰人將我妻殺死？"（第5回）

⑭不料陸仲含少年老成得緊，卻似不聽得般，並不在釆菱、謝鵬面前問一聲是誰人吹彈。（第11回）

⑮得半畝之地也便彀了，但不知是誰家山地。（第19回）

⑯禦史道："若果忤逆，我這裏正法，該死的了，你靠誰人養老？"（第35回）

4.表虛指。如：

⑰有二女之烈，又顯得尚書之忠有以刑家，誰知中間又得高秀才維持調護！（第1回）

⑱誰料這婦人道盛氏怪他做生意手松，他這翻故意做一個死，一注生意，添銀的決要添，饒酒的決不肯饒。（第3回）

⑲錢公佈道："誰教你生得這等俏。"（第 27 回）

《型世言》中的"誰"偶爾也用來指物，如：

⑳要去相面,也不知誰是天庭？誰是地角？何處管何限？（第 9 回）

（二）多少

在《型世言》中，作疑問代詞的"多少"[15]共有 46 例，占全部疑問代詞的 2.43％。"多少"主要用來作定語，其次是作賓語，也有偶爾作狀語或謂語的。如：

1.作定語：

①某人財主，慣捨得錢，前日做多少衣服與我，今日又打金簪金鐲，倒也得他光輝。（第 1 回）

②一縣官替他管理不了，略略不依，就到上司說是非，也不知趕走多少官，百姓苦得緊。（第 30 回）

③我們燈窗下不知吃了多少辛苦，中舉中進士。（第 31 回）

④這須是兩條人命，我們得他多少錢替他掩？（第 33 回）

⑤捱到下午，假做送茶去，道："小師父，你多少年紀？"（第 35 回）

2.作賓語，這也是"多少"的一個主要用法，如：

⑥一日所撰，能得多少？省縮還是做人家方法。（第 3 回）

⑦就納完了，他又說今年加派河工錢糧哩，上司加派兵餉哩，還要添多少。（第 9 回）

⑧或時道這公事值多少，何知縣捏住要添。（第 30 回）

---

15 "多少""幾"是否爲疑問代詞，學界意見不一。這裏採用的是向熹、俞理明的觀點。呂叔湘先生也傾向于把它們作爲疑問代詞看待。

⑨又有那討好的，又去對他講，道這件事畢竟要括他多少，這件事不到多少不要與他做。（第 30 回）

⑩見了這鼎，道："好一個鼎。要多少？"（第 32 回）

⑪道這事該問甚罪，該打多少，某爺講改甚罪，饒打多少，端只依律問擬，那鄉官落得撮銀子。（第 40 回）

上述例文中，基本上"多少"單獨作賓語。例⑨中的"多少"作"括"的直接賓語。

3.作狀語，這種用法不多見：

⑫孫監生看了看，道："好個鼎，正是我前日見的。你多少買了？"（第 32 回）

⑬你多少重？要幾換？我看一看，若用得著，等我拿去換了。（第 36 回）

4.作謂語，這種用法比較少見：

⑭朱愷道："帶銀子去那邊買。"陳有容道："多少？"（第 23 回）

（三）幾

在《型世言》中，作疑問代詞的"幾"有 38 例，占全部疑問代詞的 2.01%。和"多少"的用法有所不同，"幾"主要用來作定語，用法比較單一。我們不妨換個角度來考察。其主要用法如下：

1.詢問數量。如：

①祖母道："你這衫上怎麼有這幾點血？"（第 4 回）

②高禦史道："這是朋友當然，何必稱謝。但只是北方兵起，已如兄言，不知干戈幾時可息？"（第 8 回）

③問道："幾歲了？"答應："十三歲。"（第 14 回）

④石布政道："适才會酒，你坐第幾位？"（第 21 回）

⑤姚明道："幾時起身？"（第 23 回）

⑥張婆進去……竟見了鄭氏道："大姑娘，你幾時來的？"（第 25 回）

⑦你們那家？幾時與我二爺起身？（第 26 回）

2.表反問。如：

⑧你看如今一千個寡婦裏邊，有幾個守？有幾個死？（第 10 回）

⑨這個沒廉恥的，年事有了，再作腔得幾時？（第 23 回）

⑩殿了三甲，選了知縣推官，戰戰兢兢，要守這等六年，能得幾個吏部、兩衙門？（第 31 回）

⑪那婦人能有幾個有德性的？（第 31 回）

⑫婦人女子能有幾個識事體的？（第 36 回）

3.表虛指，如：

⑬這幾年租，鏨他幾日用？（第 15 回）

⑭凡是門子進院，幾時一得寵，不敢做別樣非法事？（第 30 回）

⑮昨夜也不知幾時去的，也不知去向。（第 34 回）

此外，我們也注意到，"幾"在《型世言》中已經有基數詞和序數詞的區別。如：

⑯禦史叫徐文道："這是你第幾個兒子？"（第 35 回）

（四）安

"安"本義爲"安寧"，這裏與本義無關，是假借字。《說

文通訓定聲》：〝安，假借爲曷。短言之曰曷，長言之曰安。〞
〝安〞在《論語》中偶見，在《左傳》、《莊子》等書中廣泛應
用。《型世言》中的〝安〞共有 5 例，分別用作賓語和狀語，詢
問處所和事理。使用情況如下：

　　1.作賓語。

　　①殺人竟令人代死，天理於今安在哉！（第 5 回）

　　2.作狀語。

　　②世上安可著我這貪夫？不如死了罷。（第 8 回）

　　③後邊若非他杜絕匪人，安知不又敗？（第 15 回）

　　④況且你年尚少，安知你不生長？（第 16 回）

　　⑤若使吳君無意於婦人，棍徒雖巧，亦安能誆騙得他？（第
26 回）

（五）孰

　　〝孰〞出現得比〝誰〞晚，在《左傳》中共有 18 例，比〝誰〞
少得多。但是《論語》、《孟子》、《荀子》、《莊子》、《楚
辭》等書裏，〝孰〞出現的頻率比〝誰〞高。〝孰〞可以詢問人，
也可以詢問事物和情況。《型世言》中共有 3 例。

　　①莫因妾故縈君念，孰識吾心似若堅。（第 8 回）

　　②自非奇烈女，孰礪如石心。（第 10 回）

　　③金歸篋底何從識，怨切淪肌孰與伸。（第 36 回）

　　**本節小結：上古漢語中的疑問代詞已全面解體，新興代詞發
展勢頭強勁**

　　以〝胡〞爲例，全書僅有 2 例：

①胡爲急相煎？紛紛室中鬩。（第 13 回）

②天意豈渺茫，人心胡不臧。（第 33 回）

　　而"胡"在《詩經》中總共有 60 例，其中有 58 例是位於句子的前部，作爲疑問代詞來用的。另外《型世言》中，"阿誰"僅現 3 例，"焉"僅現 2 例，但也均出現於詩詞曲賦等書面文言中，口語中則一例也沒有。可見，到了明末，上古漢語中的疑問代詞也基本上不爲群衆所使用了，中古漢語中的疑問代詞只有部分還保留在近代漢語中繼續使用。因此，以"安、孰"爲代表的上古漢語疑問代詞已日薄西山。只有經過蛻化的"誰"能與時俱進，與"幾、多少"等新興代詞齊頭並進。

結　論

一、全書疑問代詞的分布及功用

　　疑問代詞共有 67 個，其中"何"字系列詞目最多，其次是"怎"字、"甚"字和"那"字系列，"孰"、"安"等代詞最少。在產生時間上，"誰"、"孰"、"何"、"安"、"焉"起源於上古，"那"、"怎"、"幾"、"多"、"甚"起源於中古，"咱"等起源於近代。因爲這些疑問代詞語義功能普遍很強，語義上有很多交叉，很難區分得開，所以我們只能說，"誰"主要詢問人，"何"字系列、"甚"字系列主要詢問事物、事理（緣由）等，"安"和"那"字系列主要詢問處所，"焉"主要詢問事理，"怎"字系列主要詢問方式和事理，"幾"、"多"

主要詢問數量。從歷時的角度來看，古語詞"孰、安、焉"的使用範圍不斷縮小，語法功能日趨減弱。"何、那、怎、甚"等朝著雙音節乃至多音節的方向發展而變得功能強大。"咱、俺"等現保留於部分北方方言中。

二、疑問代詞的發展軌跡和趨勢

1.上古疑問代詞全面解體。一些先秦時期的疑問代詞：如"奚、胡、曷、台、誰、孰、疇、焉、安"等，已逐漸消失了；即使出現，也只是在極個別的詩詞或學究文人的口中。

2.雙音節化趨勢明顯。"那（哪）"、"甚"等由俗詞發展而來的疑問代詞雙音節化現象比較普遍。"那廂（哪廂）"的出現，說明了《型世言》在語言面貌上具有明代末年的某些地域特徵。

3.與《金瓶梅詞話》相比，疑問代詞的變化也較大。我們也注意到，在諸如《金瓶梅詞話》中經常出現的"多咱""怎樣"（見表 2），在《型世言》中沒有出現，《警世通言》和《紅樓夢》中也沒有用例。

表 2　《金瓶梅詞話》中經常出現而《型世言》中漸趨消亡的疑問代詞

詞項	多咱	怎樣	怎麼樣	怎生樣	仔麼樣	怎的	怎了
次數	0	0	0	1	1	2	4

《型世言》代詞研究總結

語言這個工具最本質的功能是交際。而根據馬丁內的"語言運用中的經濟原則"[16]，在每一種語言中，代詞都是不可或缺的。

代詞的出現使語言避免了重複和拖遝，變得明白曉暢，而這都歸功於其替代和複指等功能。因為大多數代詞產生於近代，所以學者對於近代漢語代詞的研究頗具規模，國內著述頗豐。上文我們對明代末期的《型世言》中的代詞進行了定量統計和定性分析，共時描寫和歷時比較，基本展示了《型世言》中代詞的分佈情況和使用特點，下面作一個總結。

一、代詞的分類和數量

《型世言》中的代詞約 108 個，按照作用分為人稱代詞、指示代詞和疑問代詞三大類，數量最多的是疑問代詞。再進一步細分，人稱代詞又包括：第一人稱代詞 15 個、第二人稱代詞 7 個、第三人稱代詞 9 個、反身代詞 4 個、旁稱代詞 2 個、統稱代詞 2 個。指示代詞包括：近指代詞 14 個、遠指代詞 7 個、兼指代詞 1 個。疑問代詞包括："何"字系列 27 個[17]、"那"字系列 2 個、"怎"字系列 10 個、"甚"字系列 3 個、其他疑問代詞 5 個，共約 47 個。

二、代詞的起源和語法特點

人稱代詞多起源於上古，一部分是中古，產生時間主要是先秦時期、漢魏六朝唐宋時期。三身代詞占人稱代詞的很大比重，而三身代詞中又以"我、你、他"為中心。這三個人稱代詞句法

---

16 楊金華.評馬丁內的功能語言觀[M]. 外國語，1991（3）：17-21.
17 限於篇幅，有些例子較少的代詞沒有專門列出一一研究。如上文"何"字系列雙音節疑問代詞，就有 26 個。

功能強大,可以充當主語、賓語、定語和兼語,語義功能上可以表示單數和複數,也可以表示泛指、虛指、回指。很多產生於先秦的人稱代詞(如"余、敝、僕、子、公、足下、彼、其"等)用例很少,只出現在典籍的引文或其他文言句式中,多有尊稱與謙稱之分。

指示代詞少數來自上古,多數出現在中古和近代,年代分佈在唐宋、元明清時期。這是由於隨著社會歷史的發展,以及中國多民族的融合,人們的交際活動越來越頻繁。指示代詞主要分為近指、遠指代詞,其中"這、那"系列代詞又是這兩部分的核心。指示代詞可以指示和稱代人、物、事、時間和處所等,又可以指示動作的方式、事物的性狀以及性狀的程度。它通常用作定語和狀語,也可以用作主語、賓語和謂語。語義上還有豐富的回指、後指和虛指等。總的來說,近指代詞功能最強大。

疑問代詞除了"誰、孰、安、焉、何"起源於上古,其他多產生於中古和近代,總的發展趨勢是複音化。複音化以後,四大系列中,"何"字系列成員最多,其次是"怎、甚、那"字系列。疑問代詞有很強的詢問功能,可以詢問人、物、事、時間、處所、數量、方式、原因、目的、性狀等。疑問代詞還有表示反詰、感歎、願望、詫異、任指和虛指等語義功能。疑問代詞多用作定語和狀語,也可以用作主語、賓語、謂語和補語。

與南北朝的《世說新語》,唐代的敦煌變文、宋代的《朱子語類輯略》、《三朝北盟會編》、元明的《水滸傳》、《金瓶梅話本》相比,明末的《型世言》的代詞詞目數量更多,語法功能也更強大。不僅繼承應用了上古、中古的代詞,更創造了新的代詞,在語言學上也有相當的研究價值。

參考文獻

一、著　作

[1]　馬建忠. 馬氏文通[M]. 北京：商務印書館，1923.

[2]　唐鉞. 國故新探·白話字音考源[M]. 北京：商務印書館，1926.

[3]　張相. 詩詞曲辭匯釋[M]. 北京：中華書局，1953.

[4]　楊樹達. 詞詮[M]. 北京：中華書局，1954.

[5]　高名凱. 漢語語法論[M]. 北京：科學出版社，1957.

[6]　王力. 漢語史稿[M]. 北京：科學出版社，1958.

[7]　丁聲樹，等.現代漢語語法講話[M]. 北京：商務印書館，1961.

[8]　周法高. 中國語文論叢[M]. 臺北：正中書局，1963.

[9]　周法高. 中國語言學論文集·中國語法劄記[M]. 臺北：聯經出版事業公司，1975.

[10] 王力. 漢語語法史[M]. 北京：商務印書館，1980.

[11] 蔣禮鴻. 敦煌變文字義通釋[M]. 上海：上海古籍出版社，1981.

[12] 韓崢嶸. 古漢語虛詞手冊[M]. 吉林：吉林人民出版社，1984.

[13] 高亨. 周易古經今注[M]. 北京：中華書局，1984.

[14] 陳剛. 北京方言詞典[M]. 北京：商務印書館，1985.

[15] 呂叔湘，江藍生.近代漢語指代詞[M]. 上海：學林出版社，

1985.

[16] 太田辰夫.中國語歷史文法[M].蔣紹愚,徐昌華.譯.北京：北京大學出版社,1987.

[17] 周法高. 中國古代語法·稱代編[M]. 北京：中華書局,1990.

[18] 呂叔湘. 中國文法要略[M]. 北京：商務印書館,1990.

[19] 太田辰夫.漢語史通考[M]. 重慶：重慶出版社,1991.

[20] 孫錫信. 漢語歷史語法要略[M]. 上海：復旦大學出版社,1992.

[21] 劉堅,江藍生. 近代漢語虛詞研究[M]. 北京：語文出版社,1992.

[22] 胡竹安,楊耐思,蔣紹愚.近代漢語研究[M]. 北京：商務印書館,1992.

[23] 香阪順一.《水滸》辭彙研究（虛詞部分） [M]. 北京：文津出版社,1992.

[24] 楊建國.近代漢語引論[M]. 黃山書社,1993.

[25] 馮夢龍. 警世通言[M].南京：江蘇古籍出版社,1995.

[26] 香阪順一. 白話辭彙研究[M]. 北京：中華書局,1997.

[27] 吳福祥. 敦煌變文語法研究[M]. 長沙：嶽麓書社,1997.

[28] 蔣冀騁,吳福祥. 近代漢語綱要[M]. 長沙：湖南教育出版社,1997.

[29] 盧烈紅.《古尊宿語要》代詞助詞研究[M]. 武漢：武漢大學出版社,1998.

[30] 呂叔湘. 現代漢語八百詞[M]. 北京：商務印書館,1999.

[31] 俞光中,植田均. 近代漢語語法研究[M].上海：學林出版社,1999.

[32] 中國社科院語言研究所. 古代漢語虛詞詞典[M].北京：商務印書館，1999.

[33] 江藍生. 近代漢語探源[M].北京：商務印書館，2000.

[34] 梅祖麟. 梅祖麟語言學論文集[M]. 北京：商務印書館，2000.

[35] 馮春田. 近代漢語語法研究[M].濟南：山東教育出版社，2000.

[36] 楊伯峻，何樂士. 古漢語語法及其發展（上）修訂本[M].北京：語文出版社，2001.

[37] 王力. 古代漢語[M].北京：中華書局，2002.

[38] 王力. 漢語史稿[M].北京：中華書局，2004.

[39] 吳福祥. 敦煌變文 12 種語法研究[M].開封：河南大學出版社，2004.

[40] 蔣紹愚. 近代漢語研究概要[M].北京：北京大學出版社，2005.

[41] 蔣紹愚，曹廣順. 近代漢語語法史研究綜述[M].北京：商務印書館，2005.

[42] 中國社科院語言研究所. 現代漢語詞典[M].第 5 版.北京：商務印書館，2005.

[43] 黃伯榮，廖旭東. 現代漢語[M].北京：高等教育出版社，2006.

[44] 王力，蔣紹愚，等.古漢語常用字字典[M].北京：商務印書館，2006.

[45] 吳福祥.《朱子語類輯略》語法研究[M].開封：河南大學出版社，2007.

[46] 刁晏斌.《三朝北盟會編》語法研究[M].開封：河南大學出版社，2007.

[47] 曹煒等.《水滸傳》虛詞計量研究[M].廣州：暨南大學出版社，

2009.

[48] 曹煒.《金瓶梅詞話》虛詞計量研究[M].廣州：暨南大學出版社，2011.

二、論　文

[1] 唐作藩. 第三人稱代詞“他”的起源時代[J].語言學論叢，1980（6）.

[2] 梅祖麟.關於近代漢語指代詞[J]. 中國語文，1986（6）.

[3] 劉一之. 關於北方方言第一人稱代詞複數包括式和排除式對立的產生年代[J].語言學論叢，1988（15）.

[4] 梅祖麟. 北方方言中第一人稱代詞複數包括式和排除式對立的來源[J]. 語言學論叢，1988（15）.

[5] 魏培泉. 漢魏六朝稱代詞研究[D].臺灣：臺灣大學中國文學研究所，1991.

[6] 吳福祥.敦煌變文的人稱代詞“自己”“自家”[J]. 古漢語研究，1994（4）.

[7] 吳福祥.敦煌變文的疑問代詞“那”（“那個”“那裏”）[J].古漢語研究 1995（2）.

[8] 吳福祥.敦煌變文的近指代詞[J].古漢語研究，1996（3）.

[9] 趙紅梅，等《型世言》在近代漢語中的研究價值[J].克山師專學報，1997（4）.

[10] 何樂士.專書語法研究的幾點體會[J].鎮江師專學報，1999（1）.

[11] 梁忠東.玉林話的代詞[J].玉林師範學院學報，2001（2）.

[12] 盧烈紅. “這”單獨作主語問題補證[J].古漢語研究，2001

（4）.

[13] 施建平.《型世言》代詞研究[D].蘇州：蘇州大學文學院，2003.

[14] 馮芳.《水滸傳》代詞研究[D]. 蘇州：蘇州大學文學院，2007.

[15] 劉漢生.《史記》與《世說新語》人稱代詞比較[J].天中學刊，2007，22（1）.

[16] 曹煒.《金瓶梅詞話》中的人稱代詞系統[J].蘇州科技學院學報，2009（3）.

[17] 譚芳芳.《兒女英雄傳》代詞計量研究[D]. 蘇州：蘇州大學文學院，2010.

[18] 施建平，譚芳芳.《兒女英雄傳》《型世言》第一人稱代詞比較[J].學術交流，2011（7）.

後　記

十年磨一劍，此言不虛。

1995 年在讀大學期間，我發表了語言學的習作《副詞“都”的語用特徵和語義指向》（《吳中學刊》1995 年第 2 期）。而後就分配到常州一職業學校教書。在 5 年工作期間，經過不斷努力，獲得進一步深造的機會，負笈蘇州，攻讀語言學碩士學位。期間發表了《語義核及其他》、《反義詞研究綜述》等學術論文。此外，還編過一本自考輔導類用書 —— 《大學語文（專科）自學考試指導與模擬試題》（合著，北京大學出版社，2002 年）。研究生畢業前夕，還榮獲了學校頒發的優秀研究生獎狀。後來還編寫過一本《蘇州話實用教程》，惜未能付梓刊行。

2003 年畢業後，投入到了編輯工作之中。在編校這一行業一做就是 8 年。一分耕耘，一分收穫，在領導的支持下、同事們的共同努力下，我所在部門編輯的刊物向上邁了兩個臺階，所編論文多次為人大複印資料全文轉載。2006 年通過了中國新聞出版總署組織的考試，獲得出版編輯資格人員執業證書（中級）。2011年在“第三屆江蘇省編輯崗位技能大賽”中獲得了銅獎，同年晉升為副編審。

在努力工作的同時，本人也沒有荒廢專業的學習與研究。2008年，獲得一項校級課題。2009 年本人主持的“《兒女英雄傳》代詞計量研究”獲得江蘇省教育廳高校哲學社會科學基金資助

（09SJD740022），現在已順利結題。2010 年被評爲副教授。2011
年主持的"漢語方位詞句法語義演變史"獲得國家教育部人文社
會科學研究青年基金專案研究資助（批准文號：11YJC740087）。

　　現在拿出這本小冊子算是向領導、師友、前賢及同行們作個
簡單的匯報。

　　《型世言》是明末杭州小說家陸人龍所編寫的一部擬話本小
說集，是反映明末時期語言狀況的重要文獻。現在有人將其與另
外兩種文獻並列，稱之爲"三言""二拍""一型"。因此，對
於此書的任何系統研究，都是非常有意義的。《型世言》的代詞
研究也不例外。

　　曾經有多少次，夢想著能構建一部中國代詞史。千里之行，
始於足下。而今自己的第一本小書終於完成了。在臺灣文史哲出
版社的協助下，出書的願望終於實現了。雖然有種種學術上的不
成熟和疏陋，更鞭策我將心力投入專業語言學的研究領域裡。

　　在本書付梓之時，要感謝高書記福民、崔校長志明等諸位領
導，沒有他們的大力支持，此書是不會這麼快速的出版。同時要
感謝北京大學中文系教授、博生導師，陸儉明先生、蘇州大學文
學院教授、博生導師，曹煒先生和蘇州大學博物館館長黃維娟女
士等，沒有他們的悉心指導，我學習、研究的路子不會這麼順利。
還要感謝我的家人及諸多親友，他們的辛勤付出和幫助，才有今
天的我。最後要感謝我的內人，她總是耐心和仔細閱讀我的書稿
及論文，減少文稿不必要的差錯。

　　這本小書僅僅是一塊粗陋的磚瓦。拙著不揣淺陋，就教于方
家。尚請前輩學者們不吝批評指正。

2011 年 11 月　施建平記于蘇州吳中草廬